Le Zen
de nos grands-mères

Luc Chomarat

Le Zen
de nos grands-mères

Éditions du Seuil
27, rue Jacob, Paris VIᵉ

ISBN 978-2-02-097235-2

www.seuil.com

Pour Harlan

Introduction

La sagesse, c'est bien connu, vient d'Orient.

Sous nos latitudes, apparemment, elle a disparu. Nous n'avons plus ça en stock. D'ailleurs, n'avons-nous pas toujours été très démunis dans ce domaine ?

Prenons la philosophie par exemple. A-t-elle jamais parlé au commun des mortels ? Cette phrase de Spinoza : « La prophétie est donc inférieure à cet égard à la connaissance naturelle qui n'a besoin d'aucun signe, mais enveloppe de sa nature la certitude » est certainement très vraie.

Mais sans être totalement utilitariste, on peut se demander au bout de combien de temps, et par quel miracle, elle nous permettra un jour de transformer notre quotidien, de trouver la paix ou tout simplement d'y voir plus clair.

Soyons justes : lire le *Traité de la réforme de l'entendement* dans le métro qui m'emmène au boulot demande une faculté de concentration qui me fait totalement défaut, sans parler de mes lacunes de vocabulaire. Et pourtant je suis un vrai fan de Spinoza. Si vous n'êtes pas fan de Spinoza, ce sera encore plus difficile.

Je ne rencontre pas ce problème avec les écrits du Dalaï-Lama. À titre d'exemple : « Lorsque vous réalisez que vous avez commis une erreur, prenez immédiatement des mesures pour la corriger. » Comparez avec la citation précédente.

D'une façon générale, la sagesse occidentale présente cet inconvénient immédiat, probablement dû à une confiance exagérée dans les vertus de l'intellect, qu'elle ne parle pas aux autochtones, à cause de la barrière de la langue : c'est du chinois. Ce qui prouve bien que la sagesse vient d'Orient, quoi qu'on y fasse.

Comment s'étonner, dès lors, que nombre d'entre nous, titillés par le besoin naturel de trouver un sens à leur vie, décident de chercher cet enseignement là où il se trouve, c'est-à-dire très loin de chez nous ? C'est sans doute pourquoi le bouddhisme sous toutes ses formes rencontre un grand succès en Occident.

Je ne fais pas exception à la règle. Je nourris personnellement une inclination certaine pour ce que je considère, et d'autres avant moi, comme la fine fleur des philosophies orientales, le zen.

Le zen, comme la sagesse elle-même, est difficile à définir mais évoque à tout le monde des choses semblables : le dépouillement, la simplicité, le quotidien, un humour joyeux qui désarme l'intellect.

Mais la sagesse, si elle est sage, doit bien être la même partout. Donc, et malgré les apparences, il doit y en avoir chez nous aussi. On doit pouvoir améliorer son quotidien sans se raser le crâne, s'asseoir en lotus, et chercher à savoir de qui, de quoi, on est la réincarnation. Comme l'a dit Dôgen : « Si vous ne trouvez pas la Vérité à l'endroit où vous êtes, où donc espérez-vous la trouver ? »

Je me suis donc demandé si notre culture avait vraiment été incapable de produire une sagesse que je saurais comprendre immédiatement, qui parlerait à mes sens et transformerait mon quotidien sans me faire courir les dangers de l'exotisme, très réels quand on est épris de Réel, justement.

Car une des définitions possibles de la sagesse est probablement celle-là : voir le Réel. De l'irréel conduis-moi au Réel, disent les Upanishad. Et de façon plus simple encore, ce kôan zen : « Après l'éveil, les montagnes sont de nouveau les montagnes, les eaux de nouveau les eaux. »

Or, autrefois, nos grands-mères, en toute circonstance de l'existence, avaient une petite phrase à

11

disposition, qu'elles répétaient chaque fois que la circonstance, justement, l'exigeait.

Si je me suis permis de rapprocher cette sagesse populaire des philosophies orientales, c'est que ces courtes maximes ne sont pas sans évoquer les fameux kôans, ces rébus qui sont autant d'outils pour lutter contre le dualisme et la rationalisation. Elles en ont, en tout cas, l'opacité et le poli, au point que nous ne sommes plus capables de les entendre : c'est comme si on se tapait la tête contre un mur, jusqu'au moment où s'ouvre l'étroit passage vers le vrai, et où nous les entendons à nouveau pour la première fois, belles et sonores comme des feux d'artifice.

Ce qui est frappant ici, c'est d'ailleurs combien les proverbes et maximes de nos grands-mères semblent tous dire la même chose, nous ouvrir les portes d'une réalité autre, d'une cohérence telle que nous y débarquons bon gré mal gré, quelle que soit la formule dont nous choisissons d'user la surface en apparence opaque : toutes mènent dans le même lieu, Un sans un second, comme disent nos amis orientaux.

Aussi pouvons-nous choisir une ou plusieurs de ces merveilleuses vérités qui sentent la soupe aux légumes, et les garder présentes, vivantes en nous, afin qu'elles nous ramènent sans cesse à nous-mêmes et à l'ici et maintenant, dans le lieu et l'instant où tout se joue.

Alors nous pourrons rendre grâce à nos grands-mères d'avoir su tant de choses, et de nous les avoir transmises en si peu de mots, ce qui les rend d'autant plus faciles à garder présentes à nos esprits égarés.

C'est l'intention qui compte

Il nous paraît important, pour comprendre toute la portée du zen de nos grands-mères, de commencer par une formule bien connue, dont la scandaleuse exigence est aujourd'hui étouffée par un confortable contresens.

Lorsque nous voulons obtenir quelque chose de la vie, nous nous posons des questions d'ordre pratique : comment vais-je m'y prendre ? quel est le meilleur moyen d'arriver à mes fins ? le plus rapide, le moins cher, le plus efficace ? quels sont les risques encourus ? les chances de succès ? les bénéfices possibles en annexe ? Ce pragmatisme entre en jeu dans nos entreprises les plus louables. Or, il n'est pas inutile de s'en souvenir : si c'est l'intention qui compte, nous perdons notre temps.

Car si c'est l'intention qui compte, c'est elle qui détermine le résultat.

Il était une fois une mère et ses deux filles, l'une

méchante, l'autre gentille. Évidemment la mère et la méchante fille exploitent la gentille, qui fait le ménage, la vaisselle, etc. Également chargée de corvée d'eau, elle se rend à la fontaine pour remplir les seaux.

Là, elle croise une vieille dame, en piteux état, qui lui demande à boire. La gentille fille, qui est gentille, donne à boire à la vieille dame, qui en réalité est une fée. Pour la récompenser de sa bonté, la fée lui jette un gentil sort, et chaque fois que la gentille fille ouvre la bouche pour dire quelque chose, en sortent des fleurs et des pierres précieuses.

De retour au bercail, elle est sommée d'expliquer ce phénomène. Les deux méchantes voient là une occasion à saisir. La mère envoie la méchante fille à la fontaine avec mission de désaltérer toute vieille dame mal en point qui en exprimerait le désir. Mais la fée, qui sait visiblement à qui elle a affaire, apparaît cette fois sous les traits d'une jouvencelle parée pour aller en boîte. Elle réclame à boire. La méchante fille, qui n'a rien compris à la vie, la prend de haut. « Je ne suis pas ta bonne », répond-elle en substance. La fée lui jette donc un sort peu enviable, et chaque fois que la méchante ouvre désormais la bouche, en jaillissent crapauds et serpents.

Cette histoire fait froid dans le dos. Elle peut comporter des variantes, mais son essence n'en est jamais altérée : elle oppose une attitude mécanique, qui se fie aux paramètres extérieurs, à une attitude zen, qui pense que les calculs sont vains.

Tout de suite, et cet écueil reviendra souvent sur notre chemin, nous nous heurtons à la question morale que, me semble-t-il, le zen en général et celui de nos grands-mères en particulier, récuse. On parle de bonnes et de mauvaises intentions, et ce n'est pas un hasard si l'histoire parle d'une gentille et d'une méchante fille. Là encore, c'est une façon habile de zapper le problème. Avant toute chose, nous devons nous rappeler que nos intentions ne nous sont pas toujours connues. Ou alors, comment pouvons-nous encore nous étonner que tout ne se passe pas toujours comme nous le souhaitons ?

J'éprouve une grande sympathie pour cette méchante fille, qui sait exactement ce qu'elle a à faire et combien cela va lui rapporter. Je m'identifie absolument à elle, dans mon désir d'obtenir sans cesse.

Pour dire les choses comme elles sont, je me demande bien quelle intention était la mienne, en me lançant dans la rédaction du zen de nos grands-mères.

L'argent ne fait pas le bonheur

Voilà qui est *a priori* difficile à croire. Et pourtant…

Nos grands-mères n'ont fait qu'exprimer dans
leur style particulièrement lapidaire une vérité cen-
trale que d'autres ont abordée de façon plus oblique :
il est plus facile pour un chameau, aurait dit le
Christ, de passer par le chas d'une aiguille que pour
un riche d'entrer au royaume des cieux. Dans une
histoire zen bien connue, un disciple demande à
son maître ce qu'il doit donner à un pauvre s'il s'en
présente un, et le maître répond : il ne manque de
rien. Les Beatles, qui ont amassé une fortune certaine, chantaient, à leurs débuts il est vrai : *I don't
care too much for money, money can't buy me love.*

Avec un minimum de sens de l'observation, nous
pouvons constater que les gens qui ont beaucoup
d'argent, qui sont connus pour cela, ne sont pas
systématiquement heureux. Et parmi les gens que

nous connaissons, ceux qui ont plus d'argent que nous ne sont pas toujours plus heureux. Plus simplement encore, nos moments les plus heureux ne sont pas toujours, loin s'en faut, liés à l'argent.

La formule de nos grands-mères, si banale à nos oreilles, reste énigmatique dans son aridité. On a toujours envie d'ajouter quelque chose : l'argent ne fait pas le bonheur, mais il y contribue. Ce serait plus simple. Or le zen de nos grands-mères est formel : l'argent ne fait pas le bonheur, point. L'argent, c'est l'argent. Le bonheur, c'est le bonheur. L'un et l'autre demandent énormément d'énergie, et comme disaient nos grands-mères, on ne peut pas être à la fois au four et au moulin. Le temps passé à se préoccuper d'argent ne peut rapporter, au mieux, que de l'argent.

La formule n'est donc pas si banale qu'elle en a l'air. D'ailleurs il suffit de l'imaginer en lettres capitales sur la façade d'une banque, ou d'un grand centre commercial, ou même imprimée au dos des billets de 100 euros, pour comprendre qu'elle n'a rien perdu de son caractère iconoclaste, rafraîchissant et salvateur. Bien au contraire.

Si nous écoutons cet enseignement avec toute la concentration requise, nous pouvons percevoir sous l'aridité de cette maxime une multiplicité de sens qui peut, pour le coup, nous enrichir.

En effet, il n'est pas dit ici que l'argent est sans importance. C'est un contresens fréquent, et c'est une des raisons pour lesquelles nous ne croyons pas à cette vérité toute simple : nous ne l'entendons pas, nous entendons autre chose.

Pourquoi entendons-nous autre chose ? La question mérite qu'on s'y arrête.

Nul ne pourrait aujourd'hui, dans notre société, nier l'importance de l'argent. Nous en avons besoin pour nous nourrir, nous loger et faire bonne figure, toutes choses qui nous sont indispensables. Nous en avons besoin comme instrument de liberté. Pour aller chez Ikea, chez Décathlon, aux Maldives ou même au bistrot. Par ailleurs, lorsque nous manquons cruellement d'argent, nous sommes malheureux. Nous espérons une augmentation, nous espérons gagner au loto. En fait, l'argent est tellement utile et nous apporte tellement de choses qu'il nous est difficile de croire qu'il ne suffise pas au bonheur.

Il n'est pas question ici de se lancer dans l'ascétisme ou le dénuement, démarches réservées à des gens plus évolués que nous (ou beaucoup moins, mais là n'est pas la question).

Il semble que le zen de nos grands-mères nous invite tout simplement à sortir de cette confusion décevante : nous pouvons attendre certaines choses de l'argent, mais pas le bonheur. De même, le bonheur peut nous être donné, quels que soient nos moyens financiers. Cette vérité toute simple peut nous ouvrir des possibilités insoupçonnées dans ce monde où l'argent est si important, et nous réconcilier avec notre fiche de paye quelle qu'elle soit, ce qui est un premier pas vers le bonheur.

L'habit ne fait pas le moine

À l'heure où nos enfants peuvent s'habiller chez Prada avant même d'apprendre à lire, on comprendra que l'habit a pris une importance démesurée.

Et comme la fréquentation des moines, ou même le fait d'en apercevoir un de temps à autre, ne fait pas partie de nos vies modernes et profanes, nous voilà en présence d'un rébus pratiquement impossible à déchiffrer. Pour nous, en effet, avant même de nous attaquer au sens profond de cette formule, l'habit est tout et le moine n'est rien. C'est une première difficulté. Que nous allons résoudre, car la pluie du matin n'arrête pas le pèlerin.

Avançons avec prudence. Nous pourrions très vite, emportés par notre enthousiasme, décider que l'habit, nécessairement, ne fait pas le moine. Ce serait une erreur. L'habit ne fait pas nécessairement le moine, ce qui n'est pas la même chose. Il n'est dit nulle part qu'un moine en habit n'est pas un vrai moine.

Excellente nouvelle, qui ne nous trouble pas plus que ça. D'ailleurs, nous ne nous sentons pas vraiment menacés dans notre confort intellectuel par cette maxime d'un autre âge. Mais peut-être sommes-nous présomptueux. Après tout, le moine, zen ou non, s'est embarqué dans une démarche visant à l'amélioration de sa condition spirituelle, et c'est bien ce que nous recherchons dans ce modeste ouvrage. Ou n'en portons-nous que l'habit?

Nous voilà légèrement agacés. Eh bien oui, l'habit ne fait pas le moine. Non, nous ne sommes pas suffisamment naïfs pour penser qu'il est question là d'une robe de bure. Nous ne croyons pas à l'élégance morale d'une femme qui porte bien le décolleté. Enfin, pas toujours.

D'accord. Mais si nous avons charge demain de recruter quelqu'un, ne lui demanderons-nous pas un curriculum vitae? Nous avons tous une vague tendance à penser que le diplôme fait la compétence. Nos grands-mères semblent dire que rien n'est moins sûr.

Nous pourrions appliquer ce traitement à bien des situations, mais cela nous laisse un peu sur notre faim. Après tout, il n'est pas dit que nous serons plus sages parce que nous perdrons en crédulité. Ne nous arrêtons pas en si bon chemin.

Ce qui nous intéresse ici, c'est la transformation

intérieure. Que l'autre mette en œuvre un certain nombre de stratagèmes pour nous tromper, c'est son problème. Considérons donc très sérieusement que le moine ici mis en question, c'est bien nous. Les premiers exemples qui me viennent, je suis bien obligé de le reconnaître, n'arrangent pas vraiment mes affaires : le Steinway miraculeusement trouvé sur e-bay n'a pas fait de moi un grand pianiste, la Ducati S4R avec pots en carbone n'a pas fait de moi un pilote de course.

Ne désespérons pas. Si l'on confie un Steinway à un grand pianiste, ou une S4R à un pilote de course, ils en tireront forcément quelque chose. Qu'est-ce que cela signifie ? Cela signifie que ce que nous sommes et ce que nous possédons sont deux choses très différentes. Avoir (l'habit) ne nous permettra pas forcément d'être (le moine).

Nous sommes tous persuadés de pouvoir échapper à cette confusion, ce qui dit assez à quel point nous baignons dedans. Avoir un enfant, curieusement, ne fait pas de nous un père, ou une mère.

À bon chat bon rat

Disons-le tout net : il y a dans cette symétrie bon chat/bon rat quelque chose de très joyeux, parce que infiniment juste. Quelque chose d'irréfutable, qui procède de la même beauté limpide qu'une formule mathématique exacte, et qui déclenche la même jubilation. Même les plus rétifs d'entre nous à la magie des chiffres ont un jour ressenti le merveilleux soulagement qu'on éprouve à trouver le résultat juste.

Ici, la beauté mathématique de ce que nous pouvons doublement considérer comme une formule est des plus euphorisantes. Nous pourrions pratiquement tout justifier par ces cinq mots, répondre à toute question qui nous serait adressée : « À bon chat bon rat ! » et convaincre tout le monde du bien-fondé de notre vision.

Répéter ces quelques mots en période de doute nous remet aussitôt dans le Réel, et nous pouvons repartir du bon pied, avec courage et en sifflotant. Car ne l'oublions pas : à bon chat, bon rat.

C'est d'ailleurs le premier enseignement, le plus important, qui est ici transmis avec une puissance que rien ne peut arrêter : la sagesse, c'est la joie. Et si l'on comprend cela, il n'y a plus rien à comprendre.

Mais comme cela n'est pas toujours à notre portée, nous pouvons y aller plus doucement. Littéralement, on peut le vérifier dans un dictionnaire, la formule est censée signifier qu'on finit toujours par trouver un adversaire à sa mesure. Plus simplement encore, il y a toujours une tâche digne de nous qui nous attend. Et pour aller jusqu'au bout de l'idée, ce que nous devons faire aujourd'hui, et qui peut-être nous pose des difficultés, est vraiment digne de nous : à bon chat, bon rat.

Il n'est donc pas surprenant que l'on nous ait confié cette mission difficile et délicate, et personne ne peut s'en acquitter mieux que nous. Plus encore : personne ne peut s'en acquitter à notre place.

Aussi, face à la pile de factures qu'il nous faut classer, aux beaux-parents que nous allons devoir supporter, à l'entretien d'embauche que nous allons devoir affronter, à la difficile rupture que nous allons devoir accepter, frottons-nous les mains et réjouissons-nous : à bon chat, bon rat.

L'occasion fait le larron

Que savons-nous de nos qualités morales ? De celles qui n'ont jamais été mises à l'épreuve, rien.

À la première occasion, le larron fait son entrée. Sommes-nous toujours assez naïfs pour croire que le zen de nos grands-mères parle de quelqu'un d'autre que nous ? Non, car nous commençons à être plus sages. C'est pourquoi nous pouvons accueillir cette mise en garde avec simplicité. Le larron ne saute pas sur l'occasion, c'est le contraire. Cela rend humble quant aux fondements de notre identité. Sommes-nous vraiment incapable de coucher avec la femme de notre meilleur ami ? De lui voler l'idée qui fera de nous un millionnaire ? Nous ne le saurons vraiment que si la possibilité s'en présente.

Mais cela signifie aussi que nous pouvons, à tout moment, honnêtement, mesurer nos aptitudes et notre vérité à l'aune de ce qui se présente à nous.

La fonction fait l'homme, prétendait Sartre dans un autre langage. Il avait constaté cette tendance chez le garçon de café, qui lui était peut-être un exemple plus confortable que le philosophe. L'un de mes amis, rebelle de couloir sans pitié pour le pouvoir, soudainement promu à un poste de direction, se lança sans aucun humour, même noir, dans le licenciement enthousiaste de ses anciens collègues. Triste histoire. L'occasion avait trouvé le larron en lui. Selon une logique tout aussi banale, ils ont fini par le virer, lui aussi.

Ne devons-nous pas chercher dans le zen de nos grands-mères une proposition à ne pas laisser la situation, l'adversité, les circonstances, les autres, nous définir ? Car enfin le larron, ce n'est pas l'homme. Et l'homme, s'il est libre, se doit de ne pas fonctionner. C'est ce qui le rend parfois plus sympathique que la machine.

Le maître zen est comme un miroir, impassible, il n'est ni emporté ni modifié par les évènements. L'occasion quelle qu'elle soit le laisse inaltéré. Ainsi étaient nos grands-mères.

Ce kôan particulier doit être pour nous comme l'amulette protectrice qu'emporte Lara Croft dans le temple des Ténèbres. Soyons nous-mêmes en toute circonstance, rappelons-nous sans cesse à nous-mêmes, car ne l'oublions pas : l'occasion ne va pas tarder à se présenter. Et que fera-t-elle de nous ?

Quand on veut, on peut

Einstein, qui était un génie, a précisé pour nous ce qu'il fallait entendre là : «Dans la vie, disait-il, on peut faire tout ce qu'on veut. Mais on ne peut pas vouloir tout ce qu'on veut.» Contrairement aux adeptes du zen, les hommes de science aiment que les choses soient claires.

Nous ne pouvons que prendre au sérieux un homme qui est à l'origine de la bombe atomique. Donc, ce à quoi on n'arrive pas (le bonheur, le plaisir, la paix, etc.), c'est qu'on ne le veut pas. Pour être plus optimiste : qu'on ne le veut pas vraiment, ou qu'on ne le veut pas encore, ou qu'on le veut oui mais. La seule difficulté dans la vie est de savoir ce qu'on veut, ne nous trompons pas de problème. Le zen de nos grands-mères peut nous aider.

Vouloir et pouvoir seraient dans les faits, sinon dans le dictionnaire, ni plus ni moins que des synonymes. C'est pourquoi notre potentialité, la mise en acte de notre volonté, notre capacité à transformer l'essai, sont directement liées à la sincérité, ou plutôt à la cohérence de notre désir. Car ne l'oublions pas, *c'est l'intention qui compte.* Cela suppose de n'être pas encombré par des désirs contradictoires, ce qui est presque toujours le cas, et explique que, là où nous aimerions voir notre vie changer, les mauvaises choses perdurent.

Une grande révolte se lève en nous à l'énoncé de cette évidence, mais comme nous n'allons pas tarder à le découvrir, *il n'y a que la vérité qui offense.* Ce qui nous paralyse, lorsque nous sommes paralysés, c'est que nous ne savons pas ce que nous voulons. Notre désir n'est pas unifié. Nous voulons bien ceci ou cela, à condition que. Et c'est cette condition qui nous entrave.

La réalité décrite par nos grands-mères, une fois de plus, présente l'avantage d'être réelle, si je puis me permettre cette tautologie. Réelle, c'est-à-dire opérante. Là encore, nous n'entendons qu'à moitié, redoutant d'examiner le sens profond de cette maxime que, malheureusement pour notre confort, nous percevons déjà. D'ailleurs si nous voulons bien comprendre, nous le pouvons. Quand on veut, on peut.

Après la pluie, le beau temps

Difficile de trouver plus zen : voici une vérité dépouillée de toute idée parasite, de tout jugement moral, voici une vision du monde simple et réjouissante, une pensée réconfortante et naturelle qui peut nous accompagner partout, et nous permettre d'accepter la vie, de dire oui à ce qui est, attitude qui est le fondement même de la sagesse. La poésie typiquement zen de nos grands-mères est ici à son apogée.

C'est, résumé en quelques mots plutôt optimistes, la loi du changement universel et constant, la loi de l'impermanence qui nous est ainsi transmise. Rien ne demeure.

Pas même les ennuis.

C'est la vie

Formule nécrologique par excellence, tant de fois répétée aux enterrements, cet apparent tic de langage de nos grands-mères est en fait leur kôan le plus puissant, ce que l'on pourrait appeler « la voie rapide ».

Comme souvent, nous essayons de contourner l'obstacle, d'éviter le choc frontal avec la pierre d'angle qui nous empêche de penser en rond. C'est pourquoi le sens de ces mots a été, une fois de plus, dénaturé. Lorsque nous les entendons aujourd'hui, ou s'il nous arrive de les prononcer, c'est d'un ton fataliste, pour exprimer un sentiment de désillusion. Comme si nous devions nous souvenir, à l'occasion d'une déception, que la vie n'est pas aussi idéale que nous le désirons, que nous ne pouvons pas toujours obtenir ce que nous voulons, et qu'il faut nous y faire. Il est inutile de lutter, il faut se contenter de ce que l'on reçoit.

C'est une évidence, et ma foi, un début de sagesse, que de recevoir ainsi les évènements qui s'opposent à nos souhaits. C'est ce qu'on appelle prendre les choses avec philosophie, et pour en revenir à ce que nous disions en introduction, la philosophie ici est aussi proche qu'elle peut l'être de la sagesse, et certainement de son sens véritable. Tout le monde est donc réuni sous le même toit, preuve que nous touchons à l'essence du message de nos grands-mères zen.

Madame Michu est décédée avant-hier. C'est la vie. Faut-il que nous soyons devenus sourds pour n'entendre là que radotages mécaniques d'octogénaires. Nous avons décidément besoin qu'on nous rappelle que seule la mort donne son prix à la vie, qu'elle en est la seule définition, le seul mystère égal, ce qui fait la différence entre la défunte madame Michu et nous-mêmes, en cette seconde même, et que nous devons savourer cette seconde pleinement. L'approche de la mort n'est-elle pas notre lot à tous ? Car c'est la vie. *He not busy being born is busy dying*, chantait Bob Dylan.

Il pleut, alors qu'il devrait faire beau. Nous n'avons pas assez d'argent pour partir au soleil. Notre fiancé(e) nous a quitté(e). C'est la vie. Le malheur, la déception, plus ou moins terribles, auxquels nous sommes confrontés, il va falloir les admettre. C'est le premier enseignement : le Réel, c'est le Réel. Le début de la sagesse est de le prendre pour tel. Mais il y a mieux encore.

Car accepter, ce n'est pas se contenter. Ce n'est pas se résigner. C'est là qu'est le grand enseignement : la vie, c'est la vie, et il n'y a rien de meilleur que la vie, et il n'y a rien d'autre. La vie est une totalité, et si nous voulons vivre totalement, il nous la faut toute. Nous devons profiter totalement des mauvais moments, et c'est cela que nous ne comprenons pas encore.

Lorsque les choses ne se passent pas comme nous le souhaitons, nous devons absolument nous souvenir que c'est la vie. Il est très difficile de comprendre que les mauvais jours, le mauvais temps, le manque, les épreuves, ne peuvent pas être contournés, et surtout, que les éviter, les fuir, les refuser, c'est sortir de la vie elle-même, c'est passer sur le mode encéphalogramme plat.

Car l'absence de souffrance, c'est la mort. Cela reste vrai, même si biologiquement, nous sommes toujours là.

Aussi, chaque fois que les choses ne se passent pas comme nous le souhaitons, c'est la preuve que nous sommes vivants. C'est ce qu'on appelle une bonne nouvelle.

Qui ne risque rien n'a rien

Celle-ci devrait être exposée dans la cuisine, afin qu'on la voie dès le petit déjeuner. Nous n'avons aucune idée de la justesse de ce bon vieux dicton, sinon, nous qui voulons absolument posséder, et le plus possible, comment pourrions-nous supporter de ne jamais rien mettre en jeu ?

Car nos grands-mères poussent le bouchon assez loin. Il semble que ce que nous obtenons sans nous mettre en danger, nous ne l'obtenons pas vraiment.

Premières évidences : le plaisir de posséder s'accompagne toujours de la peur de perdre, même si celle-ci est bien cachée. Pour la bonne raison que nous ne possédons rien véritablement, et qu'au fond de nous un maître zen à l'affût ne l'ignore pas, ne l'oublie jamais. La santé, la vie elle-même, finiront par nous être dérobées. Oui, nous n'aimons pas beaucoup examiner ces évidences, en tout cas pas longtemps, regarder le soleil en face ne fait pas partie des activités que nous pouvons prolonger à loisir. Oublions donc cette vérité absolue qui ne nous parle pas beaucoup et intéressons-nous à de petites choses : les objets autour de nous se détériorent ou se perdent, nos amis s'éloignent, nos conjoints deviennent les conjoints de quelqu'un d'autre, nos enfants partent vivre leur vie, nos parents nous abandonnent, trépassant s'il le faut pour qu'il n'y ait aucun doute sur le phénomène, le président de la République, l'idole des jeunes et le chef de la mafia doivent un jour céder leur sceptre à un nouveau venu, l'argent nous file entre les doigts, la jeunesse nous échappe et même la certitude que j'avais d'y comprendre quelque chose s'en est allée. Donc, même en étant très terre à terre, la possession et le sentiment de satisfaction qui l'accompagne sont des plaisanteries.

Mais soyons prudents. Le début de la sagesse, c'est de savoir où on en est. Nous vivons dans le monde des possessions, et si d'autres voies sont indiquées de-ci de-là, je ne suis pas certain que nous puissions faire le grand saut tout de suite. Faites de votre mieux, a dit Bouddha. C'était son dernier enseignement. Ayons l'humilité de prendre cette douce injonction au sérieux.

Que faire alors de cette toute petite demande ? Qu'en est-il de nos petites vies quotidiennes, de notre besoin de sécurité ? S'agit-il simplement d'une parole réconfortante, nous enjoignant que le risque de perdre, et l'angoisse qui va avec, sont la mesure de ce que nous possédons ? Dans ce cas, la sécurité serait la mesure de notre misère, ce qui est tout de même une surprise.

Les pirates autrefois brûlaient leur vaisseau, ce qui les rendait redoutables au combat. C'est une politique réjouissante, mais qui n'est pas toujours à notre portée.

Prenons garde simplement de vérifier que notre forteresse n'abrite pas un grand vide. Il serait dommage, quitte à être obsédé par la possession, d'être obsédé par la possession de si peu.

Il ne faut pas se fier aux apparences

Voilà bien le grand enseignement des philosophies orientales, sous sa forme la plus simple.
Avant de nous attaquer à *mâyâ*, l'illusion traquée
par nos confrères bouddhistes, nous pouvons commencer par le commencement.

L'illusion telle que la conçoivent les bouddhistes
va chercher très loin. La continuité du moi, par
exemple, leur est un concept totalement étranger.
En d'autres termes, l'impression que j'ai d'être moi
est une illusion. Il n'y a pas plus de rapport entre la
personne que j'étais il y a une heure et celle que je
suis en cette seconde, qu'entre moi et mon voisin
du dessus. Cette façon d'envisager les choses est un
peu perturbante, en tout cas pour moi. D'ailleurs,
il s'agit effectivement d'une façon d'envisager les
choses. Pas plus, pas moins. On ne crée pas un univers neuf sans être un peu perturbé. Quoi qu'il en

soit, cela donne une idée de ce que signifie, pour les grands maîtres du lointain Orient, se fier aux apparences. Le simple fait de croire à notre existence relève pour eux du délire. Cela ouvre des perspectives, n'est-ce pas ?

Et nous, alors ? À la petite échelle de nos progrès possibles ? Nous fions-nous aux apparences ? Mon Dieu, oui. C'est même la seule chose à laquelle on se fie sous nos latitudes. Nos grands-mères, du moins celles qui connaissaient le zen, nous mettaient en garde contre ce vieux réflexe. *L'habit ne fait pas le moine.*

Cela signifie que ce que nous percevons et ce qui est réel sont deux choses différentes. Nous voilà bien avancés. Qu'est-ce qui existe en dehors de ce que nous percevons ? Rien. Le monde n'est, *apparemment,* que la somme de nos sensations. Alors, comment faire ?

Je prends pour acquis, bien entendu, que nous ne désirons pas être trompés, que nous voulons passionnément savoir de quoi il retourne. Mais peut-être vais-je un peu vite en besogne. Dans le premier film de la trilogie *Matrix,* un traître à la cause rebelle énonce clairement son désaccord :

– Il semble que ceci ne soit pas du vin, que je ne sois pas assis dans un grand restaurant, servi par de jolies femmes. Mais si j'en suis persuadé, quelle différence ?

Question intéressante. Mais ne l'oublions pas, c'est un traître.

Le mieux est l'ennemi du bien

Le perfectionnisme, disait Winston Churchill, s'épelle paralysie.

Certaines mises en garde sont plus violentes. Celle des Indiens Navajos par exemple : la perfection, c'est la mort. Il y a aussi la petite histoire zen de l'homme qui s'attelle à la tâche d'obtenir un gazon parfait autour de son grand arbre. Il le tond au millimètre près et ramasse une par une toutes les feuilles tombées de l'arbre, jusqu'à la plus minuscule. Son voisin le maître zen acquiesce à la perfection du résultat, ajoutant : « Il ne manque qu'un tout petit détail. » Il passe par-dessus la haie, secoue le grand arbre, et le gazon est à nouveau jonché de feuilles.

Mais peut-être, dans ma propre obsession de la perfection, suis-je allé un peu vite. Car si faire *mieux* et parfaire ne sont pas des notions très éloignées, ce ne sont pas exactement les mêmes bestioles. La perfection est un fantasme et chacun de nous peut entendre les avertissements qui précèdent. D'ailleurs cela nous évitera de la rechercher, ce qui est toujours très fatiguant. Et puis, la recherche de la perfection, ce n'est pas la perfection : n'essayons pas d'obéir aveuglément à ce qui nous échappe encore. Peut-être, en substituant « parfaire » à « faire mieux », ai-je tenté de faire mieux, justement. J'ai sans doute voulu éviter la question cruciale : en quoi le mieux s'oppose-t-il au bien ?

Ce qui définit le mieux le mieux, c'est la comparaison. Il n'existe pas de mieux sans moins bien. Voilà une prise sûre, qui va nous permettre d'avancer avec méthode.

Il semble que ce que nous entendons immédiatement dans cette maxime, c'est la question du dosage. Jusqu'ici ce n'est pas encore bien. Ici, c'est bien. Au-delà, c'est mieux, c'est-à-dire que ce n'est plus bien. Mieux se situe donc sur une échelle, où se situe également moins bien. La notion de bien, telle qu'entendue ici par nos grands-mères zen, ignore cette échelle. Le bien ne se compare pas. Sans doute, puisqu'il est question de dosage, faut-il comprendre le bien comme ce qui est juste. Deux plus deux ça fait quatre. Cinq, évidemment, c'est mieux. Mais ce n'est pas juste.

« Deux et deux font cinq » : à ceux d'entre nous qui ont besoin de rêver, cela peut paraître très poétique. « Deux et deux font quatre », c'est effectivement plus difficile à admettre, comme tout ce que nous avons dû apprendre par cœur et sans discussion. C'est une réalité qui s'oppose à notre désir de tout contrôler. Un des miracles de l'âge adulte tient à cette redécouverte du Réel et de sa magie, qui ne nous appartient pas. Aussi en découle-t-il, contre toute attente, une grande sensation de liberté.

À chaque circonstance de l'existence correspond une réponse juste. Ne nous emballons pas. Inutile d'en faire trop. Cette réponse n'est pas la nôtre, elle est simplement dans l'ordre des choses. Aussi notre rôle se borne-t-il à donner la bonne réponse, libres et joyeux comme des enfants qui savent bien leur leçon.

Il n'y a que la vérité qui offense

En général, nous ne sommes pas d'accord avec cette formule. Elle nous offense. Elle nous offense beaucoup plus que, par exemple : « Il ne faut pas confondre la lune avec le doigt qui montre la lune », que nous trouvons délicieusement exotique et très vraie.

Nous voilà donc dans une position particulièrement délicate. Je ne suis pas sûr d'avoir les épaules pour m'aventurer seul sur ce terrain. D'un autre côté, je ne vois pas trop qui va me soutenir. Tous les maîtres auxquels j'ai le réflexe de me référer prônent le vrai comme bien absolu, à rechercher absolument. C'est plutôt l'absence de vérité qui les offense.

Humphrey Bogart, que nos grands-mères allaient voir au cinéma, semblait acquiescer lorsqu'il déclarait : « Je me fous de ce qu'on raconte sur moi, pourvu que ce ne soit pas vrai. » On peut effectivement comprendre qu'un homme exposé aux feux de la rampe cherche à préserver le plus possible de son être intime, et que les rumeurs les plus diverses le laissent indifférent, pourvu qu'elles n'empiètent pas sur son domaine privé. Mais nos vedettes modernes tiennent un autre discours (« Je me fous de ce qu'on raconte sur moi, pourvu qu'on raconte quelque chose »). De toute façon, tout cela est très loin de nous. Fausse piste, décidément.

Alors quoi ? S'agit-il là d'un truc, destiné à me faire tourner en bourrique, à me heurter à cette vérité, la mienne, que je ne peux pas tout comprendre ni tout expliquer ? Et cela m'offense-t-il ? Non, pas autant que je m'y attendais. Donc ce n'est pas ça non plus.

« Je suis la Vérité », a dit le Christ. En voilà un qu'on a crucifié, c'est indéniable. Freud constata plus d'une fois qu'on ne peut pas tout dire à tout le monde. La méthode psychanalytique est basée sur une observation très simple : *Il n'est pire sourd que celui qui ne veut pas entendre.* Aussi l'analyste se garde-t-il bien de dire ses quatre vérités au sourdingue, qui n'en veut surtout pas. Il le laisse parler, jusqu'à ce que la vérité en question, devenue singulière au passage, se fasse jour. Processus qui prend un certain nombre d'années.

Comme par hasard.

Chien qui aboie ne mord pas

Snoopy, le chien philosophe créé par Charles Schultz, élucidait cette formule très prisée de nos grands-mères avec un pragmatisme qui ne leur aurait pas déplu : « sinon tu te mords la langue » (*It's a good way to bite your tongue*).

Cette réponse doit nous arrêter, car la volonté de trouver systématiquement un sens caché, profond et riche de significations à ces maximes, peut nous précipiter dans la vanité, qui ne nous paraît guère compatible avec la sagesse.

Nous devons donc admettre que le premier enseignement qui, à notre surprise, ressort de ce vieux proverbe, est qu'il ne faut pas se prendre trop au sérieux. Il semble même que plus la tâche est sérieuse, puisqu'il s'agit ici d'atteindre la sagesse véritable de nos grands-mères, plus il est indispensable de l'aborder légèrement, afin de garder une certaine souplesse dans notre navigation. Car les écueils sont légion.

Aux innocents les mains pleines

Voilà qui nous paraît bien optimiste, pour ne pas dire candide, comme souvent lorsqu'il s'agit du zen de nos grands-mères. Mais l'*innocence* même de la formule suppose qu'elle est *pleine* de significations insoupçonnées.

Je ne sais pas qui gagne au Loto, je sais simplement que ce n'est pas moi, ni personne de ma connaissance. Comme quoi nous devons tous être coupables de quelque chose. Il semble que sous sa candeur de surface cette formule se révèle profondément dérangeante.

Innocent : « Qui n'est pas souillé par le mal. » C'est dans *Le Petit Robert*. Et définition 2 : « D'une ignorance, d'une naïveté trop grande. » Difficile de se reconnaître dans la première signification du terme. Cela suppose un sens du péché qui aujourd'hui nous fait défaut. Le mal est une notion intéressante, notamment parce qu'elle ne préoccupe plus grand-monde. Nous devons gagner notre vie et nous distraire, et cela est suffisamment compliqué. Le bien et le mal ne font pas partie des préoccupations modernes, sauf sous des formes exacerbées. Au quotidien, tout semble clair dans ce domaine, ou alors plus du tout, ce qui, comme ne l'ignore pas le sage, revient au même. Quant à être souillé, ce n'est plus dans notre nature. Là encore, il faut des situations exceptionnelles pour que le mot nous vienne.

Sommes-nous parfois d'une ignorance, d'une naïveté trop grande ? Certainement pas. On ne nous la fait pas. Nous ne sommes pas nés d'hier, et ce n'est pas à un vieux singe qu'on apprend à faire des grimaces. D'ailleurs, même en admettant que nous ne soyons pas aussi absolument affranchis, ne pas se faire avoir reste un idéal, auquel nous travaillons avec assiduité.

Dès lors, si nous n'obtenons pas tout sans rien faire, c'est que nos grands-mères avaient raison.

Nul n'est prophète en son pays

Le Zen de nos grands-mères fera certainement des ventes inférieures au *Précis de feng-shui*, que les Chinois laissent dans les bacs à soldes.

Les chiens ne font pas des chats

Quand Diogène entendait un enfant prononcer une grossièreté, il giflait le père.

Dans notre tendance à regarder ailleurs, c'est ainsi que nous reconnaissons chez les enfants des autres les idiosyncrasies de leurs parents. Or, cette belle formule, si nous savons la comprendre et l'utiliser, a un pouvoir magique : nous ne pouvons plus jamais être en colère contre nos enfants, leur reprocher leurs insuffisances ou leurs incartades, ou même ne pas les comprendre. Ils deviennent un miroir dans lequel voir nos propres erreurs.

Je ne serais pas surpris que cela marche dans les deux sens. Ce que nous ne supportons pas, ce que nous ne supportons plus chez nos parents, peut-être avec raison, n'est-ce pas déjà à l'œuvre chez nous ? Sommes-nous donc incapables de faire autrement ?

Mon père, qui avait toujours raison, était un type insupportable.

Charité bien ordonnée commence par soi-même

Picsou n'aurait pas dit mieux. Est-ce ainsi que nos grands-mères justifiaient leur côté rapiat ?

Nous devons nous souvenir qu'on peut pratiquer la charité sans qu'il soit question d'argent. La charité est un concept chrétien qui suppose d'agir dans l'amour du prochain. « Tu aimeras ton prochain comme toi-même. » En quoi nous devons tout de suite comprendre que les sentiments que nous avons pour notre prochain en disent long sur ceux que nous avons pour nous-mêmes.

Un puissant empereur débarque un jour chez un grand sage dont on lui a vanté la clairvoyance et que celle-ci ne se laissait pas impressionner par le pouvoir. Il traite aussitôt le grand sage d'âne bâté.

– Et toi, que penses-tu de moi ?

– Que vous êtes un être parfait, répond le sage.

L'empereur est furieux. On l'a trompé sur la marchandise. Le sage est-il un vil flagorneur comme les autres ?

– Mais qu'est-ce qui vous étonne là ? répond le sage. Les ânes voient des ânes partout, et les bouddhas voient des bouddhas partout.

Évidemment : nous ne pensons qu'à nous. Ce n'est que lorsque nous n'avons plus besoin de rien, lorsque nous ne ressentons plus aucun manque, que nous pouvons, très éventuellement, donner aux autres. Sinon nous donnons pour nous sentir généreux, ou parce que nous ne pouvons pas faire autrement, etc. Et comme *c'est l'intention qui compte*, tout cela ne donne pas de très bons résultats.

Aussi est-il urgent de nous passer tout ce qui nous est nécessaire. Il est à craindre que le moment où nous n'aurons plus besoin de penser à nous avant toute chose soit très éloigné dans le temps. Donc autant s'y mettre très vite.

Qui trop embrasse mal étreint

Nos grands-mères se méfiaient des gens aux manières trop amicales. Elles suggèrent ici une incompatibilité entre la démonstration d'affection qui s'adresse à tout le monde et la relation spéciale, intime, que l'on entretient avec une personne en particulier. Nous pouvons déjà en tirer un certain nombre de conseils pratiques. D'abord, nous devons nous souvenir qu'aimer quelqu'un, c'est renoncer à d'autres possibilités : excellent outil de mesure, toujours à portée de main. Il est tout aussi légitime de nous méfier des gens qui aiment tout le monde. Ils ne nous aiment probablement pas, même s'ils prétendent le contraire.

L'interprétation classique de cette maxime est intéressante et va bien dans le sens de nos amis d'Orient : pour exceller, ne pas se disperser. Dans le même ordre d'idées, nous pouvons prendre un peu de distance avec le concert de louanges qui accompagne la plupart des objets culturels que nous sommes susceptibles d'apprécier, et donc d'acheter. Cela fera un peu de place sur nos étagères et dans nos agendas. Les chefs-d'œuvre sont rares. Pour paraphraser Audiard, c'est même à ça qu'on les reconnaît.

Très égoïstement, j'ai tiré de cette maxime un enseignement particulier. Comme souvent, perdu devant ce nouveau kôan pour moi totalement incompréhensible, je demandai à tout hasard à mon ami Georges de m'expliquer ce que nos grands-mères pouvaient bien entendre par là. Je devais être fatigué de mes recherches, et la perspective d'un raccourci me tentait bien.

– À ton avis, ça veut dire quoi ?

Georges n'hésita pas une seconde :

– Ben, tu prends un mec, il sait rouler des pelles, mais c'est pas pour ça que c'est un bon coup. C'est ça que ça veut dire.

C'est en nous que nous devons trouver le chemin. Chaque fois qu'on essaye autre chose, ça rate.

C'est en forgeant qu'on devient forgeron

Encore une vérité oubliée. Peut-être parce que nous sommes si nombreux à travailler dans le tertiaire, et que nous voyons si peu de forgerons.

À nouveau, quelque chose ici va à l'encontre de tout ce que nous connaissons. Le marché de l'emploi, par exemple, privilégie la jeunesse sur l'expérience, probablement parce que celle-ci coûte plus cher. Que penser d'un monde qui nous suggère sans cesse que les années passent en pure perte ? Cela est-il si vrai ?

Il existe une lecture très simple de ce kôan bien de chez nous. Il faut dès aujourd'hui nous mettre à la tâche, non tant pour la mener à bien dans les meilleurs délais que pour devenir qui nous sommes, comme aimait à nous le rappeler Nietzsche.

Le forgeron, c'est celui qui forge. Ne vous demandez pas si vous êtes capable d'élever des enfants, sinon vous n'en aurez jamais. Toute situation B fait de nous un individu différent, qui a des moyens dont ne dispose pas l'individu A.

La spéculation intellectuelle est donc une perte de temps. En cela Nietzsche et nos grands-mères étaient d'accord.

Le monde appartient à ceux qui se lèvent tôt

Il paraît évident, à première vue, que le monde appartient à ceux qui se lèvent tard. Si nous étions tous convaincus du contraire, nous serions d'attaque avec le soleil, et nous nous coucherions comme les poules, car l'un va difficilement sans l'autre.

C'est là toute la fraîcheur bienfaisante du zen de nos grands-mères qui, sous des dehors familiers, tranche dans nos certitudes et leur odeur de renfermé : nous qui fuyons le sommeil comme une perte de temps, qui cherchons à prolonger la journée jusqu'aux premières lueurs de la suivante, nous qui achevons la tournée des boîtes au petit matin et n'ouvrons l'œil qu'à trois heures de l'après-midi, comment ne pas nous révolter devant cette scandaleuse assertion qui nous encourage à partir de bonne heure accomplir toutes sortes de tâches ?

La civilisation occidentale a définitivement basculé dans l'adolescence : elle présume de ses forces, cherche ses limites, décrie tout ce qui est vieux de six mois, ne pense qu'au sexe. Quand je dis civilisation occidentale, je parle surtout de moi, évidemment. C'est ce que dit mon psy. Mais je le soupçonne d'avoir d'autres patients.

Bien sûr, rien ne sert de courir, il faut partir à point. Et premier arrivé, premier servi. Il y a là comme un acquiescement au pur esprit de compétition de notre difficile monde moderne qui ne semble pas, à première vue, très compatible avec la sagesse, telle que nous l'imaginons en tout cas. Mais après tout, pourquoi pas ? La quête d'une certaine paix de l'esprit ne doit pas être une démission. S'il nous faut nous battre dans ce monde cruel peuplé d'ex-épouses sans pitié et de patrons incompétents, ne cédons pas notre place. Il est bon que nos grands-mères ne nous permettent pas d'imaginer qu'être sage consiste à s'asseoir en lotus et tout regarder d'un air angélique et abruti. Voilà un enseignement bien utile.

La parole est d'argent, le silence est d'or

Less is more, prétendaient les minimalistes. C'est l'essence même du zen, à plus forte raison du zen de nos grands-mères. Moins on en fait, mieux on se porte. Le vide, le silence, le rien, figures idéales de la recherche non dualiste, sont les seules figures de l'absolu qui soient à notre portée.

Mais prenons les choses au pied de la lettre, et essayons, comme le suggéraient nos grands-mères, d'appliquer ces grands préceptes philosophiques venus d'Orient à notre quotidien. Dans un monde où tout se mesure à son entrée en Bourse, quelle est la cote du silence ? Est-elle réellement plus élevée que celle du bavardage ?

La psychanalyse, qui n'est pas loin, nous l'avons déjà constaté, d'acquiescer au zen de nos grands-mères, voit dans la parole le remède possible à tous nos maux : verbaliser évite le passage à l'acte et met fin à la compulsion de répétition. Car la souffrance que l'on ne peut dire, on la met en actes. En d'autres termes, ne pas pouvoir dire, c'est souffrir. Mais cela paraît contradictoire avec le zen de nos grands-mères. Décidément j'ai bien du mal à comprendre, et cela me révolte d'autant plus que ma petite amie ne m'adresse plus la parole.

Il y a peut-être là une tentative pour rétablir quelque chose qui semble nous échapper définitivement : la parole ne peut s'inscrire que dans le silence. C'est le silence qui rend la parole possible, et par exemple le silence de l'analyste. Donc le plein n'existe que par le vide.

Il n'y a pas si longtemps que « positif » est devenu un mot positif, et « négatif » un mot négatif. C'est pourquoi le mot d'ordre, érigé en leur temps par les magasins Carrefour, est de positiver. Mais ce n'est peut-être pas une bonne idée.

En attendant que mes problèmes de couple se résolvent, je suis bien obligé de constater une fois de plus le caractère zen de ces kôans bien de chez nous. La méditation se fait dans le silence et toutes les grandes figures de la philosophie orientale avaient une fâcheuse tendance à se taire.

Qui paye ses dettes s'enrichit

Encore une vérité qui se heurte aux évidences financières. Méfions-nous. Commençons, puisque cela nous a réussi dans le passé, par examiner la chose sous un angle littéral.

Les 20 euros que je trimballe dans ma poche et que je destine à mon déjeuner, ne m'appartiennent pas. Ayant une fois de plus oublié ma carte bancaire dans ma parka qui est partie directement au pressing, j'ai dû les emprunter à Georges. Dès que j'aurai récupéré ma carte bleue, car j'ai confiance en Long Tran et fils, je pourrai me rendre au distributeur le plus proche, retirer du liquide et rendre à Georges ses 20 euros. À première vue, je n'en serai pas plus riche pour autant. J'aurai effectué ce que des gens plus calés que moi appellent une opération blanche.

Cette petite transaction qui n'aura pas pris plus de quarante-huit heures n'aura pas mis en jeu un système d'intéressement. Malgré le krach de l'immobilier que tous mes amis me promettent depuis que j'ai fait la folie d'acheter un appartement, il semble que je puisse le revendre sans trop de souci, et, à tout le moins, effectuer là aussi une opération blanche.

Dans les deux cas, je n'aurai pas perdu d'argent, mais je ne me serai pas vraiment enrichi non plus, j'ai le regret de le constater. Pour rester à une échelle que j'appréhende plus facilement, rembourser Georges ne semble pas avoir augmenté mon niveau de vie en quoi que ce soit.

La virginité supposée desdites opérations, la pureté qu'évoque immédiatement la couleur blanche me ravit. C'est un fait. Si je me concentre un peu, je suis obligé de reconnaître que cette pureté est une sensation intime, et qu'en remboursant Georges je me sens réconcilié avec moi-même. On dirait bien que la dette elle-même m'avait mis dans un état de pauvreté très réel. J'ai rendu ses 20 euros à Georges dans un délai raisonnable, compte tenu de ce que la somme représente pour lui et pour moi. Je me sens très libre. Je me sens, l'espace d'un instant, aussi riche que si c'était moi qui lui prêtais 20 euros. Puis nous parlons de choses et d'autres, du krach de l'immobilier qui, m'affirme-t-il, est imminent.

Tout cela paraît évident, mais nous devons nous

méfier de ce qui est évident. D'abord parce qu'une dette n'est pas toujours financière. D'ailleurs elle n'est jamais exclusivement financière. Et nous sommes tous endettés, d'une façon ou d'une autre. N'avons-nous pas l'impression de devoir beaucoup à nos parents ? Et par voie de conséquence, car l'amour est une invention de Pavlov, à nos amis, à nos enfants ?

Peut-être que non. Mais alors pourquoi agissons-nous comme si c'était le cas ? pourquoi reproduisons-nous les schémas parentaux, si ce n'est parce que nous nous sentons terriblement endettés ? Et comment payer ce genre de dettes, dont le taux, souvent exorbitant, est fixé dans l'inconscient ? C'est une grave question. Une question intéressante, en tout cas.

J'ai vécu à découvert pendant des années, laissant les factures s'empiler sur le meuble de l'entrée sans les ouvrir, de peur justement qu'il s'agisse bel et bien de factures. Je vivais, comme on dit, au-dessus de mes moyens. Je supportais très mal de ne pas m'offrir tout ce qui me faisait envie, et je ne voyais pas en quoi le fait de ne pas avoir l'argent nécessaire devait être un obstacle. J'étais très malheureux.

Depuis, je me suis considérablement enrichi. J'ai vendu, à perte, tout ce que je possédais pour payer mes séances chez le psy. Jusqu'au jour où, n'ayant plus rien à vendre, j'ai dû commencer à gagner ma vie. Personne ne voulait me prêter d'argent pour payer le psy. Je le sais, j'ai essayé.

Je ne suis plus jamais à découvert. Je suis donc riche. Il ne faut pas oublier, dans le processus, que je m'étais considérablement endetté, et c'est à cela que tient ma richesse. Voilà peut-être un secret bien caché derrière toutes ces évidences : pour se sentir aussi riche avec un solde aussi peu remarquable que le mien, il faut avoir payé ses dettes.

Qui vole un œuf vole un bœuf

Encore des symboles qui trompent. Les œufs vont par boîtes de six, les bœufs se font rares dans notre paysage. Que voulaient dire nos grands-mères ?

On dirait bien qu'il est question là de principes. Voilà ce que nous pouvons entendre immédiatement : voler, c'est voler. Le crime ne se mesure pas, comme nous avons souvent tendance à le faire, au kilo de préjudice. Voler, dénoncer, trahir, abandonner, ne deviennent pas des actes significatifs passé un certain seuil, que d'ailleurs personne ne peut fixer. Condamner quelqu'un sans procès équitable, même s'il ne s'agit que de gloser sur la vie privée d'une collègue de bureau, c'est la porte ouverte au lynchage dès que les circonstances le permettent.

Mon ami Georges me faisait remarquer récemment : « À marcher droit nul ne trébuche. » Un peu circonspect, je lui ai demandé ce qu'il entendait par là.

– Ben, marcher droit. Pas aller se taper une pute dans le dos de ta femme, etc.

– Tu veux dire, ce que la société entend par « marcher droit » ?

– Ben oui. C'est ça l'important.

– Brûler les hérétiques, tout ça.

– Quoi ?

Nous découvrons à nouveau que toute morale est sociale, donc fluctuante, et que s'y conformer n'est pas systématiquement une bonne idée. N'oublions pas que ce que l'on a reproché aux criminels de guerre à Nuremberg, c'est de s'être conformé à la loi. Depuis nous envoyons des gens en prison sur des arguments inverses. La vie est bien compliquée.

D'ailleurs, plus j'avance dans cette histoire et plus je trouve que tout cela sonne un peu prêchi-prêcha. Or, je ne peux m'empêcher d'entendre ce passage de l'œuf au bœuf comme une performance qui mérite d'être saluée. Cette notion inattendue de performance me réjouit. Suivons la voie de la sagesse. Faisons fi de toute morale, posons-nous une question vraiment zen : qu'en penserait Arsène Lupin ?

Pour ce que je sais d'Arsène Lupin, il me semble qu'il pourrait tenir le raisonnement suivant : « Si j'ai eu assez de courage et d'ingéniosité pour dérober le bouchon de cristal, je peux m'attaquer aux joyaux de la couronne. Qui vole un œuf vole un bœuf. »

Raisonnement qui me plaît davantage. Je préfère voir le vol du côté des voleurs. La spiritualité est un art de la précision, donc autant faire confiance aux vrais spécialistes.

La boucle est bouclée, et tout est clair : rien n'est affaire de quantité en ce monde, tout est affaire de qualité.

C'est une révélation sidérante qui me laisse un peu troublé, mais que j'essaierai de garder vivante quand on me dira : « Ça a fait 8 millions d'entrées » ou, mieux encore : « Attends, *tout le monde* fait ça ! »

Qui a bu boira

La compulsion de répétition était donc un phénomène bien connu de nos grands-mères : elles nous apprenaient à juger non en fonction des évènements, mais en fonction des hommes. Et des femmes bien sûr (certaines de mes amies boivent plus que de raison).

Aussi, dans notre recherche de la perfection, devons-nous appliquer cet adage à nous-mêmes. Lorsque nous cherchons à éviter les catastrophes, ou même à ne pas réitérer nos erreurs passées, nous devons comprendre que les circonstances, favorables ou non, ont peut-être moins d'importance, dans l'issue des évènements, que l'être que nous sommes profondément.

En effet, à moins d'être aveuglé par l'époque, il est absurde, lorsque nous avons échoué, par exemple, à construire une relation durable avec une créature à notre goût, de se dire que cette fois-ci ça va marcher. Si nous sommes la même personne, il est probable que l'erreur sera reconduite.

En être conscient, c'est paradoxalement ne pas partir battu d'avance. C'est, à chaque nouveau combat de l'existence, se souvenir de son véritable adversaire, celui dont on n'a pas encore triomphé : soi-même.

Bien sûr, on ne peut pas y arriver en une fois. L'hydre est un adversaire redoutable, car il a plusieurs têtes. Mais en couper une, c'est déjà passer au niveau supérieur, comme le savent bien les adeptes des jeux vidéo. Comme quoi tout le monde détient une petite part de sagesse.

Mieux vaut tard que jamais

Je me suis mis au piano à 30 ans. Pourquoi si tard ? Parce que j'ai passé la décennie précédente à me dire qu'il était trop tard pour me mettre au piano.

Aujourd'hui je sais que je ne serai jamais un grand pianiste, ni même un pianiste moyen. Je sais aussi le plaisir que je prends à jouer, et à progresser. Car je progresse, malgré tout. Je suis sorti de cette folie qui consiste à se comparer aux autres, et non à soi-même. Cela a totalement modifié ma notion du temps. Tard, ce n'est pas *trop* tard. Ce n'est même pas tard : c'est maintenant.

Et donc, même si *le monde appartient à ceux qui se lèvent tôt*, ce n'est pas une raison pour ne pas s'y mettre à un moment ou à un autre. Le monde ne nous appartiendra pas, c'est exact. Mais en avons-nous vraiment besoin ? Et puis, comme disait le sage à son disciple qui avait décidé de renoncer au monde : « Je ne savais pas qu'il vous appartenait. » Encore un qui aurait dû se lever plus tôt. Nos grands-mères ne craignaient décidément pas la contradiction apparente, ce qui est très zen.

Mieux vaut tard que jamais. Je préfère cette vérité sous sa forme factuelle, qui n'en réfère qu'à nos amis de chez Swatch. *Il n'est jamais trop tard pour bien faire*, qui dit à peu près la même chose, me convient moins, parce qu'il me semble que l'idée de bienfait est ici parasite, difficile à expliquer, et qu'elle ne me convient pas ce matin.

Il est toujours bon d'introduire un peu d'arbitraire dans sa façon de voir, sinon on subit la tyrannie de l'objectivité, qui n'existe pas.

Un souci de moins.

Chassez le naturel, il revient au galop

Inutile de nous faire violence : nous sommes ce que nous sommes. Nous avons, bien sûr, des qualités. Mais nous pouvons aussi nous montrer, et pas plus tard que vendredi dernier, jaloux et mesquins. Nos grands-mères semblent dire qu'il n'est pas très efficace de s'éveiller un beau matin, armé de cette grande décision : je ne serai plus jaloux. Ni mesquin.

Qui a bu boira. Considérons au contraire que nous serons, inévitablement et comme toujours, jaloux. Ce n'est donc pas le nouveau collègue de travail de notre fiancée l'ennemi, mais bien notre jalousie sans fin. Oublions donc ce petit imbécile de Bruno, et concentrons-nous sur cet adversaire toujours à portée de main : nous-mêmes. Le croire meilleur qu'il n'est, c'est le sous-estimer.

Et le sous-estimer, comme le savent tous les professeurs d'arts martiaux, c'est lui donner toutes les chances de gagner.

J'entends aussi, dans ce retour au galop, un élan de joie auquel il est peut-être encore plus difficile de prêter attention. Si nous nous contraignons à certaines limites, des limites qui ne nous sont pas naturelles, le cheval fougueux de nos idiosyncrasies va caracoler par-dessus ces barrières. Nous n'essayons pas toujours d'être meilleurs que nous sommes, étrangement. Parfois aussi, nous nous acharnons inutilement à être plus mauvais. Ce n'est pas une bonne idée.

Tout cela n'est pas très concret. Convoquons le scorpion et la grenouille, pour y voir plus clair.

Tout le monde connaît cette histoire. Le scorpion aborde la grenouille. Il veut traverser la rivière.

– Prends-moi sur ton dos, dit-il, et emmène-moi de l'autre côté.

– Pas si bête, répond la grenouille. Si je te prends sur mon dos, je n'irai pas bien loin : tu vas me piquer.

– Ne dis pas n'importe quoi, rétorque le scorpion. Si je te pique, étant sur ton dos, je vais me noyer. Je ne sais pas nager et il faut vraiment que j'aille de l'autre côté.

Le raisonnement se tient, se dit la grenouille. Elle embarque donc le scorpion sur son dos et les voilà partis. Parvenus au milieu de la rivière, le scorpion la pique.

– Mais qu'as-tu fait ? s'écrie la grenouille tandis qu'ils s'apprêtent tous les deux à couler à pic. Tu vas mourir, toi aussi.

– Allons, allons, répond le scorpion. Qu'est-ce que tu racontes ? Tu le savais depuis le début, que j'étais un scorpion.

Ce qui me frappe dans cette histoire, peut-être parce que je suis trop sentimental, ce sont les bonnes intentions de la grenouille, et que celles-ci ne sont pas récompensées. Décidément, il m'est bien difficile, malgré toutes *mes* bonnes intentions, de ne pas voir le bien et le mal partout.

Cette histoire est une nouvelle invitation à voir le Réel. Un scorpion est un scorpion. Le considérer comme un aimable touriste n'est pas une faute morale, mais ce peut être préjudiciable. La grenouille a peut-être charge de famille. Il peut y avoir des conséquences lourdes.

Mais peut-être est-il un peu facile de s'identifier à la grenouille. Que pense le scorpion de cette histoire ? Lui aussi, j'en suis persuadé, est assez surpris de ce dénouement, qui lui est également préjudiciable. Oui, plus j'y pense, plus je me dis que sa lucidité est feinte. Je crois qu'il est aussi largué que la grenouille, en fait. C'est toute la saveur de cette histoire : elle se déroule à l'insu des protagonistes.

Que savons-nous de nous-mêmes ? Si nous ne

voulons pas finir noyés, y compris dans nos raisonnements, il est utile de savoir à qui nous avons affaire. Moi, par exemple. Qu'est-ce qui m'a pris de parler de grenouille ? Cette histoire parle d'une *tortue* et d'un scorpion, tout le monde le sait. Qu'est-ce que cela signifie ?

On n'est jamais si bien servi
que par soi-même

À première vue, cette lapalissade se passe d'élucidation. Aussi, dans notre sagesse grandissante, l'aborderons-nous avec beaucoup de circonspection.

Lorsque nous cherchons spontanément les circonstances de l'existence où nous appliquons cette stratégie à la lettre, force est de constater que cette évidence n'en est pas une.

La maxime signifie aussi que nous avons toujours ce que nous méritons. Moralement, c'est inacceptable évidemment. Disons-le autrement : dans ce qui nous arrive, dans ce que l'existence nous sert, que ce soit difficile à avaler, à digérer, ou au contraire un nectar, le facteur le plus déterminant, c'est nous.

Je ne suis pas meilleur qu'un autre : il m'arrive de ne pas avoir envie de me lever et d'exiger mon café au lit. Le café, invariablement, est trop léger. Je m'en plains. Mais bien sûr, je me trompe de cible : on n'est jamais si bien servi que par soi-même. C'est d'ailleurs ce qui m'est arrivé. C'est bien moi qui ai décidé que ce café serait dosé par quelqu'un d'autre.

C'est pourquoi notre petite formule est l'excuse préférée des gens qui ont des difficultés à déléguer, et qui justifient ainsi le manque de confiance qu'ils ont *a priori* dans autrui. Autrui s'arrange en général pour les confirmer dans leurs difficultés, en rendant un travail bâclé.

C'est là que, peut-être, s'ouvre le double fond que nous cherchons depuis tout à l'heure. Quoi qu'on fasse, et même s'il y a d'autres intervenants, on n'est jamais si bien servi que par soi-même. C'est pourquoi prendre le plus de choses possibles à sa charge est une décision pleine de bon sens, sachant qu'elle nous met vite face à deux vérités majeures, que nous ne pouvons ignorer très long-temps : d'abord, on ne peut pas tout faire ; ensuite, dans nos relations avec les autres, nous ne pouvons prendre en charge que notre propre bagage. La plupart des sages finissent ainsi par se consacrer à une activité unique, et par vivre seuls. C'est ainsi qu'on les imagine, seuls sur la montagne, à méditer et peut-être à faire un peu de poterie. Si cette autarcie nous paraît trop aride, nous pouvons essayer de reproduire le schéma dans nos petites sphères encombrées : ne nous dispersons pas, et évitons de confondre les problèmes des autres avec les nôtres. Ces deux petites décisions devraient suffire à améliorer considérablement notre quotidien.

Ce qui nous arrive est donc la conséquence de ce que nous sommes. Si nous avons tendance à nous en remettre aux autres, ce n'est pas le meilleur service que nous puissions nous rendre. D'ailleurs, *qui paye ses dettes s'enrichit.* Nous pouvons aussi imaginer ce serviteur négligent que nous devons supporter à jamais, et, conscients de ce qui pourrait devenir une malédiction, exiger de lui un service impeccable, ce qui veut dire meilleur que la veille. En voilà un qui n'assure pas en toute circonstance. Ne nous a-t-il pas déjà trompés sur la marchandise à plusieurs reprises, dans le choix d'un conjoint, d'un travail, d'un itinéraire, d'une hygiène de vie acceptable, de la meilleure façon d'occuper nos loisirs ? Virons-le sans plus attendre, donnons-lui son congé et remplaçons-le par un autre qui présente de meilleurs certificats. C'est ainsi qu'avant de déménager, de divorcer ou de démissionner, nous pouvons dans un effort certes plus héroïque, mais beaucoup plus simple, nettoyer le disque dur, remplacer le personnel et faire avec ce que nous avons :

nous-mêmes, infiniment malléable, évolutif et toujours à portée de main. Placés dans les mêmes circonstances que nous, d'autres s'en tirent différemment, et parfois beaucoup mieux. Se voir comme son propre domestique est certes un truc, mais présente l'avantage de prendre l'ego à revers, ce qui nous donne de meilleures chances de négocier avec cet adversaire vorace.

Comme on fait son lit on se couche

Si l'on demande à un enfant de faire son lit, et qu'il oppose la résistance de base, on obtient ce que ma mère obtenait avec moi : un lit à refaire. « J'y arriverai mieux toute seule », disait-elle. Effectivement, elle allait plus vite que moi et le résultat était impeccable, tiré au cordeau. Les conséquences de cette petite scène bi-hebdomadaire sont multiples, et complexes. Encore aujourd'hui, c'est une des raisons pour lesquelles je préfère vivre en couple.

La question du couple, d'ailleurs, ne peut pas être évitée dès lors qu'il est question de lit. Lorsque j'étais enfant, les adultes étaient mal assortis, mais ils étaient assortis. Les divorces étaient encore des secrets de famille, en tout cas dans la mienne. Ma génération a fait de la séparation un sport qui compte de nombreux licenciés. Le désaccord, assez inévitable entre deux individus adultes, est aujourd'hui si souvent cause de rupture et cela crée, quoi qu'on en dise, un tel désarroi, que les théories les plus fumeuses jaillissent de toutes parts pour conjurer l'angoisse. Le couple serait une structure artificielle ne correspondant à rien. Les hommes seraient tous des salauds. Les femmes n'auraient qu'un but dans l'existence : faire des enfants. L'espérance de vie aurait rendu absurde le projet de rester toute une vie avec la même personne. Les femmes seraient toutes folles, ou, disons, d'une exigence désespérée. L'amour n'existerait pas. Nous ne serions ni plus ni moins que des animaux. Elles nous casseraient les burnes. Les rôles sexuels traditionnels, mis à mal par la libération des femmes, seraient aujourd'hui des plus flous, plus personne n'y retrouverait ses petits, prisonniers d'un progressisme inévitable et de la nostalgie d'un temps où les choses étaient plus claires. Gabin aurait dit : « Tu l'as choisie, tu la gardes ! » La précarité serait le nouvel ordre social, tant dans le travail que dans la vie privée.

Les théories émanent toutes de gens ayant souffert d'une rupture. Je redoute toujours le moment où on va me demander mon avis sur la question. Je réponds chaque fois la même chose :

– Comme on fait son lit, on se couche.

Cela calme instantanément tout le monde. J'ai

l'air d'en savoir long. C'est un des avantages du zen
de nos grands-mères, et pas des moindres.

J'espère secrètement qu'à force de répéter cette
jolie formule, qui mêle dans une trame invisible le
passionnel et le quotidien, je finirai par y voir clair.

Qui n'avance pas recule

Nos grands-mères ne nous avaient pas habitués à des prises de position aussi nettes. On attendait plutôt, venant de ces créatures impartiales et pleines d'humour, quelque chose de zen. Quelque chose comme : « Qui n'avance pas, n'avance pas. »

La violence du propos ne peut être contournée. Cela ressemble presque à une loi économique, avec sa cruauté toute factuelle. D'ailleurs il faut bien avouer qu'en termes économiques, il est difficile de penser différemment : tout augmente tout le temps, donc rester au même salaire, c'est perdre de son pouvoir d'achat.

La catastrophe annoncée est probablement plus vaste. Nous l'avons constaté à plusieurs reprises, les conséquences économiques sont rarement les plus dramatiques ; toutefois il est important de les signaler. Car *on ne prête qu'aux riches*. Cela nous incite à écouter attentivement la vérité qu'on tente de nous transmettre, et nous autorise à la croire absolument vraie. D'ailleurs Freud a réussi à nous faire prendre la liberté individuelle au sérieux avec un truc tout simple : vous n'êtes pas obligé de venir à votre séance, mais vous êtes obligé de la payer. C'est assez difficile à admettre, en tout cas moi j'ai mis un certain temps. Mais la première fois qu'on paye pour *ne pas* aller chez le psy, on comprend qu'on est absolument libre.

Avancer suppose plus qu'une direction : un sens. Et, *a priori*, un effort pour ne pas rester sur place, un effort musculaire à tout le moins. Mais voilà. Nous retrouvons avec surprise notre vieille amie, la loi de l'impermanence : rien ne demeure, sauf le changement. Ce qui nous avait d'abord paru violent se révèle finalement tenir de la simple observation : tenter de faire du surplace dans un univers en flux permanent est une illusion. Et sans aucun doute, nous le comprenons maintenant, un recul. Nous devons avancer pour rester en contact avec le changement. Nous laisser porter, en fait. Contre toute attente, c'est reculer qui demande un effort. Toute régression est un acte. Décidément, nous découvrons des choses étonnantes.

Le mouvement étant inévitable, si nous n'allons pas dans un sens, nous allons dans l'autre. Avancer et reculer sont des mots justement chargés de sens.

Personne n'a envie de reculer, me semble-t-il. Dès lors il est important de nous repérer. Où est l'avant, où est l'arrière? Il n'est plus question de hausse des prix et d'inflation. Nous parlons de la vie avec un grand V, comme vitesse. Plus le temps de nous attarder à compter nos sous.

Avancer, donc, mais avancer comment? Nous laisser porter par quoi? C'est biblique: il nous faut avancer en âge. Ce que n'ignorent pas les enfants, et que nous oublions si vite, dès lors que notre âge ne correspond plus aux canons absurdes qu'on nous désigne comme enviables: ce qu'on appelle justement un âge avancé. On est vite distancés, dans une société pour qui la jeunesse représente un idéal.

Lorsque nous refusons d'avancer, comme les mules que nous sommes parfois, nous ne pouvons qu'être insensibles à la beauté neuve de ce qui se présente à nous. Prisonniers d'une époque révolue où nous sommes de plus en plus vieux: la jeunesse des autres. Il est certainement plus sage, et plus fun, de défricher sans cesse des terres nouvelles, comme lorsque nous étions adolescents: non pas, je ne peux plus faire cela, mais cela, je ne pouvais pas le faire avant. Si avancer en âge se résume à une série de soustractions, comme nous avons parfois tendance à le croire, alors la vie n'a aucun sens.

Mais de cela nous ne sommes pas persuadés, puisque nous lisons *Le Zen de nos grands-mères*.

J'ai été sidéré d'apprendre que certaines civilisations ignorent le mot « vieux », qui ne signifie absolument rien sous d'autres latitudes. On dit « vénérable », paraît-il. Je suis évidemment plus sensible à ces choses maintenant que je suis plus vénérable.

On ne prête qu'aux riches

Ce n'est pas une grande découverte, est-on tenté de dire. Pour obtenir un bon crédit, mieux vaut disposer d'un bon virement. Ce sont les plus gros salaires qui disposent de voitures de fonction et d'autres avantages en nature. Et puis ce n'est pas non plus une très bonne nouvelle, sauf pour les riches.

N'oublions pas, cependant, que *l'argent ne fait pas le bonheur*. Et n'oublions pas que parfois, le zen de nos grands-mères s'avance masqué. S'il s'agit là d'une évidence financière, nous devons peut-être envisager, une fois de plus, qu'il est aussi question de richesses plus subtiles.

Nos grands-mères sont formelles : nous n'obtenons facilement et sans effort que ce dont nous ne sommes pas démunis. Conséquence amusante : nous devons disposer en quantité de ce qui nous manque. L'amour est un bon exemple. Il y en a d'autres, mais celui-là devrait suffire à nous illuminer.

Prenons exemple sur nos amis les riches. Ça ne coûte rien.

La nuit porte conseil

En 1900, un médecin viennois du nom de Sigmund Freud a porté à la connaissance du public un livre qui confirme cette assertion : *L'Interprétation des rêves*. Une version abrégée et plus digeste, *Sur le rêve*, ouvre suffisamment de perspectives pour un esprit curieux.

Encore aujourd'hui, au XXIᵉ siècle, je ne peux pas évoquer Freud sans obtenir en retour une levée de boucliers, quand ce n'est pas une volée de bois vert. L'un des arguments les plus fréquents étant :

– Freud, c'est dépassé.

Émanant invariablement de gens qui ne l'ont ni lu ni, si l'on peut dire, pratiqué. Pour que quelque chose soit dépassé, il faudrait que la réalité décrite ait changé. Considérer la réalité comme une mode est une conséquence inévitable quand on considère la mode comme une réalité. Une petite erreur d'appréciation qui touche les meilleurs d'entre nous.

Freud était un homme totalement inconscient. Il a porté à la connaissance d'un public qui n'est toujours pas décidé à les accepter un certain nombre de faits que, s'il faut en croire Swami Prajnanpad, un sage hindou qui admirait beaucoup Freud, les habitants de l'Inde considéraient déjà comme des vérités irréfutables il y a deux mille ans de cela. C'est dire s'il en faut peu pour nous effrayer, nous autres Occidentaux modernes accrochés à nos merveilleux gadgets. Je ne suis pas qualifié pour dresser la liste des faits en question, encore moins des théories qui en ont découlé. La psychanalyse a fait beaucoup de bien dans ma vie, et beaucoup de mal dans la vie de certains de mes amis. *On n'est jamais si bien servi que par soi-même*, semble-t-il.

Ce qui est intéressant ici, c'est en quoi la psychanalyse ressemble au zen. Et d'abord parce qu'elle ne ressemble à rien, ce qui est également le cas du zen.

On a assez dit que le zen n'était pas une religion, mais une méthode. C'est également vrai de la psychanalyse : on vient à telle heure, on repart à telle heure, on paye telle somme. C'est tout. L'avantage insigne que présente la psychanalyse sur le zen, c'est la posture. Il est très douloureux de s'asseoir correctement en lotus, surtout pendant des heures. Pour les raisons qu'on imagine, et pour d'autres : Wetering dit que les préparations H sont monnaie courante dans les monastères, à cause de la pression exercée sur l'anus. S'allonger sur un divan est nettement plus confortable, même si l'âme est parfois mise à rude épreuve.

Surtout, les deux systèmes sont d'accord sur l'absence de systèmes gravés dans le marbre. Des hypothèses, au mieux. J'essaie moi aussi d'user la surface des kôans de nos grands-mères en prenant toutes les précautions possibles. Mais même lorsque je crois en avoir fait le tour, leur mystère demeure intact, comme si on me claquait une porte au nez. Je m'apprêtais à parler de la réconciliation avec l'inconscient qu'apporte le sommeil. De là, habilement, à établir un parallèle avec la notion de non-agir, et la meilleure façon de résoudre nos problèmes : les oublier, lâcher prise. Mais tout cela me paraît bien théorique. Et prétentieux. La seule chose sur laquelle Freud n'est jamais revenu, c'est qu'on ne pouvait pas connaître l'inconscient.

La vérité, c'est que je me sens parfaitement incapable de résoudre le paradoxe qui suppose de transmettre et donc d'approcher la vérité sans s'en éloigner dans le même mouvement, à coups d'approximations intellectuelles et de bredouillages théoriques.

J'y réfléchirai demain. La nuit porte conseil.

Aux grands maux les grands remèdes

Une des raisons d'être de ce livre, c'est que je crois aux remèdes de grands-mères.

Nous avons tous besoin, à un moment ou l'autre, d'un peu de réconfort. Je crois avoir lu quelque part que nous autres Français étions les plus grands consommateurs de psychotropes du monde, à la seule exception des Japonais, des gens par ailleurs très zen. Nous disposons bien sûr d'un exceptionnel système social, mais cela n'explique pas pourquoi nous avons tellement besoin d'être consolés.

J'ai consommé moi-même un certain nombre de cachets de toutes les couleurs et de toutes les formes, censés agir sur mes tendances dépressives et mes angoisses à répétition. Il devrait être évident pour nous que si nous ne soignons pas les causes de notre tristesse, nous concentrant sur la disparition momentanée des symptômes, nous allons nous épuiser dans une fuite sans fin devant un adversaire certes redoutable, mais qui présente l'avantage, pour ceux qui acceptent le combat, de ne pas exister.

À la bataille des Thermopyles, trois cents guerriers ont arrêté et mis à mal une armée de plusieurs centaines de milliers d'hommes. Pourtant, comme le mot lui-même le signifie aujourd'hui, les Spartiates n'étaient pas des gens très équipés. Leur arme la plus terrible, c'était leur détermination. Un Spartiate ne recule pas.

C'est pourquoi j'ai fini par jeter tous mes cachets à la poubelle, et par me préparer une bonne tisane de camomille. Il y a quinze ans de cela, et ce fut un grand jour pour Sparte.

Il n'est pire sourd que celui qui ne veut pas entendre

Quand on veut, on peut. Conséquence immédiate : quand on ne veut pas, on veut ne pas pouvoir. Et très souvent, on y arrive.

L'idée ici est très précise. La question qu'on peut se poser, c'est : pourquoi « pire » ? En quoi le sourd par volonté est-il plus sourd que les autres sourds ? C'est l'intéressante question, diversement débattue, de ce qu'on appelle, dans les magazines illustrés que nous aimons feuilleter sur la plage, les maladies psychosomatiques.

Les philosophies orientales, et nos grands-mères avec elles, considèrent que l'âme et le corps avancent main dans la main. Nous, ici, en Occident moderne, sommes tout à fait persuadés du contraire. Les psys voudraient nous faire croire que tout est dans la tête, même quand nous avons mal au ventre. Pouvons-nous entendre une chose pareille ? Non contents d'avoir effectivement mal au ventre, nous devrions nous sentir coupables d'y être pour quelque chose ?

Ce n'est pas si simple. Moi qui ai basculé dans l'excès inverse, j'ai traversé, histoire sans doute de me donner raison, une période d'épouvantables migraines. Tout était bel et bien dans la tête, pour le coup. Je suivais alors une analyse et j'étais persuadé, parvenu à ce stade de mon « travail », que ces maux de tête sans fin étaient l'expression de ma relation à ma mère, bien problématique et tout spécialement à ce moment-là.

– Vous avez raison, a confirmé ma psy. Est-ce que vous avez pris de l'aspirine ?

J'étais abasourdi.

– Pour quoi faire ? si c'est lié à ma mère ?

– Pour faire passer le mal de tête.

J'ai pris une aspirine. Je suis même allé voir un médecin, sur les conseils de cette dame avisée.

Le sourd qui ne veut pas entendre n'est pas curable, car sa surdité est imaginaire, pure création de son esprit, de son désir et de la petite sœur qui l'accompagne partout, l'angoisse. C'est ce désir handicapé qu'il faudrait soigner. Et l'on sait combien celui-ci est difficile à guérir, et qu'il a toutes formes de surdité à disposition. En ce qui me concerne, il faut croire que je ne voulais pas vraiment cesser d'avoir mal.

J'ai dû apprendre, à mon corps défendant, que ce n'est pas parce que l'origine du mal est quelque part dans l'âme qu'il faut renoncer à soigner ce corps. De la modération en toutes choses.

Un bienfait n'est jamais perdu

La chose nous est étrange, mais peut-être que nous sommes mesquins. Nos grands-mères semblaient penser fortement que nos actes portent leurs conséquences en eux-mêmes. Examinons cela de plus près.

Quand je me hasarde à commettre un bienfait, donc à *bien faire*, j'en attends un retour, une récompense, des félicitations à tout le moins. Mais très souvent mon soi-disant bienfait refuse de se comporter comme le boomerang espéré. Il a plutôt des airs de balle de golf, qu'on perd de vue en général derrière le grand arbre à droite au trou n° 9, et qu'on ne retrouve jamais.

C'est la conséquence de la confusion dans laquelle nous plongent les notions de bien et de mal, qui induisent celle de récompense, même si cette récompense se situe dans l'au-delà (vous seriez surpris de constater combien de gens croient encore au paradis).

Khalil Gibran, dans *Le Prophète*, envisageait les choses différemment : « Vous avez droit à votre travail, écrivait-il, mais non aux fruits de votre travail. » Et plus subtilement encore : « Vos enfants viennent à travers vous, non pas de vous. » La récompense est toujours intrinsèque. Prendre des décisions justes ou injustes est une construction ou une destruction de l'âme. Nous ne méritons pas le retour espéré qui nous encombrerait de toute façon.

J'aime voir mes balles de golf partir au loin dans un sifflement joyeux. Un bon swing, c'est celui qui envoie la balle sur le green. C'est en quoi la récompense est dans le geste. Si ma tête est encombrée par le score, qui n'est pas de mon ressort, il y a des chances que je rate mon coup. Seule la perfection de mon geste m'appartient. Attendre un résultat est toujours une forme de peur. Inutile de dire que les sanctions sont plus graves quand on pratique la boxe ou l'escrime. Comme disait le maître de kendo : « Ne t'attends à rien. »

Méditons ce conseil. Citons encore maître Suzuki : « Dans la vie, l'absence de but est fondamentale. Quand vous pétez, vous ne dites pas : à neuf heures je péterai. Cela arrive, et c'est tout. »

C'est pourquoi bien faire, le geste juste, la parole juste, la décision juste, nous appartiennent totalement, et nous apporte évidemment toutes les récompenses possibles... dès lors que nous ne l'avons pas fait dans ce but. Et c'est ainsi que la pratique du golf m'a sauvé d'une vie d'erreurs.

Quand le vin est tiré il faut le boire

Il y a là quelque chose qui nous incite à nous montrer conséquents dans notre manière de vivre.

Si l'on se place du point de vue du vin, qui en vaut un autre, cela signifie que le simple fait d'exister nous rend nécessairement utiles. Le vin est fait pour être bu. Il serait idiot de renoncer à cet usage inscrit dans la nature même du breuvage. C'est un aspect de la question. Nous pouvons dès lors nous interroger sérieusement sur l'usage que nous comptons faire des armes de destruction massive. Ne sont-ce réellement que des moyens de dissuasion pris de folie exponentielle, dont le but historique est de mettre fin aux conflits armés ?

En tout cas, cela devrait nous inciter à comprendre nos actes dans leurs inévitables conséquences. Si l'on n'a pas l'intention de s'alcooliser joyeusement, pourquoi s'atteler au pressoir ? C'est une erreur que nous faisons souvent. Le divorce, auquel j'ai souscrit deux fois, est un délire. S'il n'en est pas un, c'est que le mariage en est un. Notre société est structurée pour que nous n'ayons pas à assumer les conséquences de nos actes. C'est pourquoi nous nous livrons à toutes sortes de rituels avec légèreté.

C'est donc au pressoir que nous devons nous interroger, et pas devant le verre. La question du temps, ici, est inévitable. On sent dans cette petite phrase la présence invisible mais certaine d'un point de non-retour. Il semble qu'il nous arrive allègrement de franchir ce point sans nous poser de questions. Dans nos efforts soutenus pour ne pas payer l'addition, nous cumulons une dette intime qui peut nous coûter la vie, puisque nous choisissons de passer à côté.

Mon maître de karaté-do disait : « Quand vous faites une connerie, ne croyez pas que vous la faites impunément. » Comme il était capable de me tuer à mains nues, j'avais tendance à l'écouter religieusement. Aujourd'hui encore, je ne prendrais pas le risque de ne pas le croire.

Qui dort dîne

En voilà un qui m'échappe.

Dans le rituel zen, lorsque le disciple est convié en *sanzen*, le maître attend la réponse du disciple au kôan particulier que celui-ci est en train d'étudier. Lorsque le disciple ne trouve pas, le maître le congédie en agitant une petite clochette. J'entends cette petite clochette chaque fois que je me heurte à cette maxime, qui défie mon entendement.

Cela me conforte dans l'idée que nous avons là affaire à un zen authentique.

Qui se ressemble s'assemble

Cela ne me semble pas tant la constatation d'un état de fait, comme on a trop souvent tendance à le penser, qu'une méthode efficace pour limiter les risques d'erreur. Au ricanement qui m'échappe lorsque j'ai la confirmation que mon voisin du dessous (odieux) a d'excellents rapports avec la gardienne (malfaisante), je me suis mis à préférer, un jour que j'avais l'esprit clair, une grille de lecture qui me concernait directement et pouvait mettre un peu d'ordre dans ma vie.

Le verbe « s'assembler » m'a toujours renvoyé au Lego de mon enfance, avec ses petites briques jaunes, rouges, bleues qui s'emboîtaient dans une perfection nouvelle, inconnue à l'époque des autres jeux de construction. Je pouvais développer des cités entières avec ça. C'est dire si je suis convaincu que *s'assembler* peut mener loin.

Récemment, j'ai constaté que la femme avec

qui, à ma grande surprise, je continue de m'entendre à peu près, me ressemble physiquement, autant qu'il est possible à une femme de ressembler à un homme. Je pense que cette ressemblance correspond à une ressemblance plus profonde, psychique, structurelle, émotionnelle, affective, sensuelle, sexuelle, quel que soit le mot et le concept associés, une ressemblance existentielle et/ou essentielle, en tout cas qui touche à l'identité.

On appréhende le monde et les autres avec son éducation et sa culture, ses peurs et ses désirs, mais aussi avec son poids, sa taille, son appareil digestif et sa pilosité. D'ailleurs, si nous arrivons à nous souvenir que l'âme et le corps ne sont pas deux entités séparées, j'allais dire ne sont pas deux choses différentes, nous conviendrons que cette idée n'en est pas une. Cela peut nous aider à ne pas nous tromper. Le vilain canard se découvre cygne seulement quand il croise un autre cygne.

Par identification projective, comme disent les spécialistes du comportement, nous nous associons souvent à des gens qui nous fascinent par leur différence. Ils ont accès à cette partie du monde qui nous échappe. C'est effectivement fascinant. Mais si l'on veut construire, mieux vaut n'être pas trop différent de l'autre. On peut objecter que cela n'est pas très enrichissant. Nous ne répondrons pas à cette objection. L'âme sœur, ça veut bien dire ce que ça veut dire.

À quelque chose malheur est bon

C'est la vie. Les psychanalystes, encore eux, parlent de bénéfices secondaires.

Être malheureux, c'est pouvoir se plaindre. C'est se mettre à l'abri de la jouissance, qui peut être insupportable. C'est un moyen d'amener l'autre à s'occuper de nous.

Il est toujours intéressant, lorsqu'une situation nous contrarie, nous désespère, nous attriste, nous disconvient particulièrement, de nous demander ce que cela nous rapporte, en particulier si cette situation a tendance à se reproduire : je me fais toujours avoir, personne ne fait attention à moi, je me fais virer de tous les boulots de la terre, ça ne marche pas avec les femmes, ou avec les hommes, etc. Nous ne sommes pas suffisamment fous pour reproduire des situations qui nous rendent malheureux. C'est donc que ces situations nous conviennent quelque part, même si c'est d'une manière invisible. Comprendre que le bénéfice obtenu ne vaut pas tous ces ennuis qui nous rendent effectivement malheureux, c'est une possibilité de changer de vie pour le mieux. Dans les romans policiers on dit plus volontiers : cherche à qui le crime profite. Quel aspect de notre personne se trouve soulagé de nous savoir malheureux ? Et surtout, si nous n'étions pas malheureux, pourrions-nous le supporter ?

D'une certaine façon, tout ce qui nous arrive de difficile est toujours bon pour nous, puisque c'est l'occasion de traquer le coupable. Stanley Kubrick, à qui l'on annonçait les très bonnes recettes de *Barry Lyndon* lors de la sortie parisienne du film, répondit avec un certain bon sens :

– Pourquoi m'annoncer ça ? C'est quand il y a un problème que je peux faire quelque chose.

Rira bien qui rira le dernier

Voilà qui devrait nous encourager à nous montrer humbles et patients.

Je crois me souvenir que les méchants, dans le *Journal de Mickey* de mon enfance, appréciaient particulièrement cette expression, qui contenait une promesse de vengeance. À peine mis en prison par le commissaire Finot, ils se frottaient les mains, l'air machiavélique, et répétaient la formule comme une incantation.

L'histoire leur donnait raison. Ils ne tardaient pas à s'évader, donnant à nouveau du fil à retordre à Mickey, Dingo et leurs amis.

La conception karmique de l'univers est également d'accord avec eux : la roue tourne. Un jour en haut, un jour en bas. Évidemment, nous avons tendance à nous en souvenir lorsque nous sommes en bas. Nous ne sommes pas meilleurs que les méchants du *Journal de Mickey*. Lorsque tout va bien, il nous est difficile de croire que cela ne va pas durer. Nous le savons, mais nous avons néanmoins du mal à le croire. En fait, même lorsque tout va mal, l'inévitable rotation ne nous semble pas réelle.

Et pourtant elle tourne ! La roue tourne, c'est une évidence. Certaines révolutions prennent probablement trop de temps pour que nous puissions les appréhender, mais elles ne sont pas niables : hier nous étions les jeunes, demain nous serons les vieux. Hier nous nous sentions impuissants face aux adultes, aujourd'hui nous ne supportons pas les enfants.

Si la roue tourne, et elle tourne, *qui rira le dernier* ? Celui qui sort de la chaîne des causes et des effets, celui qui échappe à la malédiction karmique : l'illuminé, le Bouddha, le sage, l'être éveillé.

Éric Edelmann nous rappelle que l'hilarité est l'expression spontanée de l'expérience intérieure elle-même, du *satori*. Tout en précisant que le bouddhisme indien distingue six classes de rires différents, du plus serein au plus grossier. Rigoler, ricaner, ce n'est pas rire.

Cela me rassure : on m'a si souvent reproché de ne pas être un rigolo.

Pierre qui roule n'amasse pas mousse

Les Rolling Stones, c'est vrai, ont fait fortune. Mais ils ne se sont consacrés qu'au rythm'n blues, comme on disait à l'époque de leurs débuts. Et même si leur musique a évolué, ils ne se sont consacrés qu'aux Rolling Stones.

J'ai fait partie de trois ou quatre groupes de rock. Je ne savais pas si je voulais être batteur, bassiste ou guitariste. Je passais d'un instrument à l'autre, ce qui explique que je n'ai jamais su jouer correctement de l'un ou de l'autre. Ma carrière de rock star s'est achevée assez vite, et d'ailleurs le rock a vite cessé de m'intéresser.

J'ai déménagé entre trente et quarante fois depuis que j'ai quitté la maison familiale. J'ai exercé une dizaine de métiers avec un insuccès étonnant, pour me fixer sur la publicité. Une fois dans la publicité, j'ai changé six fois d'agence. Je me suis marié deux fois, j'ai tenté de construire cinq couples. J'ai changé treize fois de voiture, sept fois de moto, trois fois de scooter, huit fois de professeur de piano.

J'étudie aujourd'hui le zen de nos grands-mères.

Pas de nouvelles, bonnes nouvelles

En Angleterre, des tests très sérieux ont déterminé que les gens qui regardaient les infos du soir à la télé étaient très déprimés. Je ne sais pas comment on peut mesurer ce genre de choses, mais cela m'a paru à ce point vraisemblable que je me suis demandé comment je n'y avais pas pensé plus tôt. Il n'existe aucun journal d'information, que ce soit sous forme imprimée, audiovisuelle ou virale, dont la ligne éditoriale consiste à nous abreuver de tout ce qui va bien dans le monde. Faisons confiance aux professionnels : cela ne se vendrait probablement pas.

Je suis toujours très étonné par le nombre d'informations qu'absorbent les gens autour de moi. Très étonné, parce que cela ne modifie leur vie en rien.

Il ne faut jurer de rien

Le double sens du verbe « jurer » a toujours été une énigme pour moi, et c'est peut-être là que se présente une occasion unique de la résoudre.

S'il ne faut jurer de rien, c'est que toute certitude est sujette à caution, donc inutilisable. C'est bien embêtant. Nous avons besoin de croire à certaines choses, et d'y croire absolument. Nous avons besoin d'un minimum de certitudes pour tenir debout. Comme nous l'avons constaté précédemment, le monde étant la somme de ce que nous percevons, il est difficile de ne pas se fier aux apparences. De la même façon, si nous ne pouvons plus être sûrs de rien, comment allons-nous pouvoir nous déplacer dans ce monde, prendre des décisions ?

S'il ne faut jurer de rien, c'est qu'il faut douter de tout. Le doute serait donc d'essence divine, puisque jurer est un blasphème. S'il ne nous est pas possible, en tout cas pas à moi, de renoncer à toute certitude, peut-être est-ce une révolution suffisante d'accueillir le doute comme un signe de Dieu, le signe que nous sommes sur la bonne voie. Cela nous donne aussi des armes, décidément nécessaires pour nous défendre de ceux qui sont toujours là pour nous expliquer la vie, ceux qui savent.

Des ignorants, si je comprends bien.

Deux opinions valent mieux qu'une

Les opinions quelles qu'elles soient sont honnies par le zen et les philosophies orientales en général, en ce qu'elles se surajoutent inutilement au Réel. Dès lors, pourquoi cet encouragement à les multiplier ?

Étrangement, lorsque j'entends deux opinions, je les entends divergentes. Sinon il ne s'agit jamais que d'une opinion partagée par deux personnes. Disposer de deux opinions, c'est les relativiser de fait. C'est la porte ouverte au doute, faille béante par laquelle la tolérance peut nous visiter, à défaut du Réel lui-même. Tout irait probablement beaucoup mieux en ce monde si nous étions le plus naturellement du monde de droite *et* de gauche, d'une religion *et* d'une autre. Cela n'est pas conciliable ? C'est encore une opinion. Il nous faudrait disposer d'une autre.

Le maître se promène dans le monastère, flanqué

de son assistant. Un disciple arrive en courant du potager :

– Maître, maître. Yo a écrasé un hanneton. Ce n'est pas bien, n'est-ce pas, maître ? Car nous devons respecter la vie !

Le maître écoute le disciple avec attention, le prend solennellement par l'épaule et dit :

– Tu as raison.

Toujours flanqué de son assistant, le maître reprend sa promenade.

Yo, le disciple tueur de hanneton, ne tarde pas à rappliquer en courant :

– Maître, maître. Il est vrai que j'ai écrasé ce hanneton, mais il était en train de dévorer la salade. Nous devons protéger les moyens de notre subsistance, n'est-ce pas, maître ?

Le maître écoute le disciple Yo avec attention, le prend solennellement par l'épaule et dit :

– Tu as raison.

Puis il reprend sa promenade. L'assistant le suit, visiblement troublé. Au bout d'un moment, il se permet d'interroger le maître :

– Maître, je ne comprends pas. Ils ne peuvent pas avoir raison tous les deux, n'est-ce pas ?

Le maître écoute son assistant avec attention, le prend solennellement par l'épaule et dit :

– Tu as raison.

Chat échaudé craint l'eau froide

Nous croyons si bien à cette formule que celui qui se déclare un peu « échaudé » sait très bien que sa réticence est déplacée, mais qu'il n'y peut rien. Que les choses pourraient se passer différemment cette fois, mais qu'il n'arrive pas à se défaire de la précédente expérience et de ses effets désastreux.

C'est évidemment la brûlure qu'il nous faut redouter, pas l'eau. Je pense qu'en fuyant l'élément liquide, nous pourrions nous brûler contre quelque chose d'autre. C'est en quoi la compulsion de répétition est dangereuse. C'est l'invisible qui se répète. Aussi ne verrons-nous les similitudes que plus tard, c'est-à-dire trop tard.

Il ne faut pas se fier aux apparences. La surface des choses nous fascine au point que nous reconnaissons pour identiques des situations qui ne le sont qu'en partie, et cette partie n'est pas celle qui devrait nous intéresser. Dans le cas du chat, le phénomène désagréable de brûlure. Oui, c'est bien de l'eau, mais elle est froide, a-t-on envie de dire à la pauvre bête qui, tous ceux qui ont un chat et un minimum d'honnêteté vous le diront, ne comprend rien, n'écoute rien, ne sert à rien. D'où une prédilection certaine des adeptes du zen, comme moi, pour cet animal inutile, d'une bêtise rare, au poil soyeux et au monocylindre intermittent.

Une maison dépourvue de chat peut être inhabitable. Il lui manque une respiration pour ponctuer le passage du temps. Veiller à la satisfaction de ce minuscule tyran domestique qui ne pense qu'à manger, dormir, détruire votre nouveau canapé et ne vous témoigne aucune affection, interroge notre prétendue rationalité. Sa fréquentation assidue peut être une voie rapide vers la sagesse.

Les grands esprits se rencontrent

Je n'ai jamais été capable de lire les bibliographies en fin de volume, ce qui est bien dommage. J'ai probablement tendance à penser que l'auteur a fait pour moi un travail de synthèse absolument remarquable, et je n'ai pas du tout l'intention de me retaper tout le boulot. Pour ceux qui ne souffrent pas de cette incuriosité consternante, voici une liste lacunaire des brillants esprits qui m'ont inspiré.

Comme je l'ai déjà dit, je ne suis pas un spécialiste des philosophies orientales, et mes références ici reflètent davantage mes goûts personnels et mon incapacité à explorer un domaine avec un tant soit peu de persévérance. Cela dit, je ne tiens pas à être un expert en quoi que ce soit, donc tout va bien. Mettons que c'est une liste des livres que j'ai tendance à feuilleter quand je ne sais plus quoi penser (ce qui arrive souvent) :

Richard Bach, *Jonathan Livingstone le goéland*, Paris, Flammarion, 1973.

Ambrose Bierce, *Le Dictionnaire du diable*, Paris, Rivages, 1989.

Douglas Hofstadter, *Gödel, Escher, Bach*, Paris, Dunod, 2000.

Barry Lopez, *Le Chant de la rivière*, Paris, Payot, 2001.

Robert M. Pirsig, *Traité du zen et de l'entretien des motocyclettes*, Paris, Seuil, 1998.

Wilhelm Reich, *Écoute, petit homme*, Paris, Payot, 2002.

Jérôme David Salinger, *Franny et Zooey*, Paris, Seuil, 1991.

Robert Van Gulik, *Le Jour de grâce*, Paris, 10/18, 1998.

Kurt Vonnegut, *Le Cri de l'engoulevent dans Manhattan désert*, Paris, Seuil, 1978.

Même remarque en ce qui concerne la psychanalyse, que j'ai souvent utilisée à seule fin de prouver le bien-fondé du zen de nos grands-mères : je ne suis pas spécialiste, et si vous n'avez pas d'*a priori* favorable pour la démarche analytique, je me suis tiré une balle dans le pied. Comme quoi, quand on ne sait pas comment un truc marche, on ferait mieux de ne pas s'en servir. Toujours est-il :

Sigmund Freud, *La Question de l'analyse profane*, Paris, Gallimard, 1998.

Sigmund Freud, *Cinq leçons sur la psychanalyse*, Paris, Payot, 2001.

Sigmund Freud, *Sur le rêve*, Paris, Gallimard, 1988.

Pierre Marie, *Psychanalyse, psychothérapies, quelles différences?*, Paris, Aubier, 2004.

J.-D. Nasio, *L'Hystérie ou l'enfant magnifique de la psychanalyse*, Paris, Payot, 2001.

Les petites histoires zen que je me suis permis de citer ne sont pas de moi. On en trouve différentes versions dans différents ouvrages sur le zen, le bouddhisme ou les philosophies orientales en général. Je me dois de signaler notamment :

Henri Brunel, *Humour zen*, Paris, Calmann-Lévy, 2003.

Arnaud Desjardins, *Les Chemins de la sagesse*, Paris, Éditions de la Table ronde, 1999.

Éric Edelmann, *Plus on est de sages, plus on rit*, Gordes, Éditions du Relié, 2005.

David Schiller, *Le Petit Livre de sagesse zen*, Paris, Robert Laffont, 1999.

Christian Soleil, *Le Sourire du Bouddha*, Saint-Bonnet-les-Oules, Bucdom, 2001.

Janwillem Van de Wetering, *L'Après-zen*, Paris, Rivages, 2001.

Allan Watts, *Éloge de l'insécurité*, Paris, Payot, 2003.

L'histoire sur Stanley Kubrick est tirée du livre de Michel Ciment, *Kubrick* (Paris, Calmann-Lévy, 2004). Ma citation de *Matrix* est totalement fantaisiste, mais le sens de la scène est respecté (*Ignorance is blessing*, dit-il en fait).

Je recommande également la musique de Philip Glass pour son étonnante faculté à créer du beau avec trois notes.

La compagnie des enfants, et celle des chats.

Les meilleures choses ont une fin

Réalisation : PAO Éditions du Seuil
Achevé d'imprimer par Corlet, Imprimeur S.A.
14110 Condé-sur-Noireau
Dépôt légal : avril 2008. N° 97235
N° d'imprimeur : 110872
Imprimé en France